Janine Boissard, écrivai...
sion et pour le cinéma en...
fait des adaptations de ...
télévisées.
Janine Boissard a publ...
L'Avenir de Bernadette; ...
Moi, Pauline; Rendez-vou...

Un jour, le téléphone sonne cnez Nadine. C'est la police. Son fils Jean Daniel, vingt ans, vient d'être hospitalisé, victime d'une piqûre d'héroïne mal faite. Mais que Nadine se rassure : il s'en tirera...
Pourquoi ? Comment ? Quand cet enfant que l'on disait « sans histoire », adolescent paisible entouré de la tendresse de deux parents unis, d'une sœur attentive, a-t-il pris le chemin de la drogue ? Quand Nadine et Gilles, son mari, l'ont-ils, sans le savoir, perdu de vue ? Que peuvent-ils faire pour l'aider ?
Ce roman est l'itinéraire d'une femme à la recherche d'un inconnu : son fils. Mère armée de la volonté farouche de rendre à celui qu'elle a mis au monde, l'amour de la vie.
Sujet douloureux et que j'ai beaucoup hésité à aborder. Mais pouvais-je parler de la famille, de la femme à notre époque, en esquivant le problème des stupéfiants alors que tous, parents, nous savons qu'à chaque coin de rue, au lycée comme à l'université, nos enfants se voient proposer ce qui peut les détruire ?
J'ai désiré que ce livre soit aussi celui de l'espoir et de l'amour. Ce qui manque aux jeunes qui cherchent l'évasion dans l'alcool ou la violence, c'est souvent la chaleur d'un vrai dialogue, c'est aussi le sentiment d'être utile à quelqu'un ou à quelque chose, ce sont des points d'ancrage, des raisons de s'enthousiasmer. Si on leur propose cela, même un peu de cela, sans doute accepteront-ils de revenir sur terre marcher à nos côtés. Mais ne faut-il pas d'abord tenter de regarder en face le problème et soi-même ?
Si ce livre peut aider quelques-uns à « être au rendez-vous » je serai heureuse de l'avoir écrit.

Janine Boissard.

JANINE BOISSARD

Rendez-vous avec mon fils

ROMAN

FAYARD

1

IMAGINEZ ! Un jour comme les autres : quatre heures de l'après-midi, plein soleil sur le mur d'en face comme un miroir d'été, pleine paix : c'est mai. Vous êtes repassée par chez vous et, dans le salon, vous reprenez souffle un moment. Un jour de votre vie, heureuse en somme : un mari, deux enfants : patient édifice de tendresse et d'amour; çà et là, bien sûr, quelques brisures, mais aussi beaucoup de ces instants privilégiés où l'on a chaud tout à coup, sans raison précise, chaud d'existence. Imaginez que tout cela soudain se fende, s'ouvre et, comme un fruit pourri, perde sa substance.

C'est le téléphone qui sonne. C'est une voix anonyme : « Madame Ménessier ? Votre fils vient d'être hospitalisé : Ambroise-Paré.

— Mon fils ? Mais vous faites erreur, monsieur. Mon fils est à la faculté de droit. Il passe des examens; nous en parlions encore hier. Et d'ailleurs, qui êtes-vous ?

— Commissaire Loisel. Votre fils s'appelle bien Jean-Daniel ? Il est bien né en 1961, à Paris IVᵉ ? Un mètre quatre-vingt-trois, cheveux châtains, signes particuliers : néant, c'est cela ? »

C'est cela ! Un long garçon aux cheveux bouclés, dont le regard émeut : de confiance, d'incertitude; un de ces jeunes hommes de maintenant aux épaules étroites, à la grâce inquiète.

« Pavillon réanimation. Nous vous attendons. Je suis désolé, madame. »

Imaginez-vous la main sur l'appareil, dans le silence suspendu, dans le fruit éclaté. Hier, vous n'avez pas menti, il était assis là, dans ce coin de canapé justement, et comme il avait plu il avait retiré ses chaussures pour ne pas salir la moquette; ses cheveux, humides, paraissaient plus foncés; il fumait trop, comme d'habitude.

Vous dites à voix haute : « C'est fini ! » Mais sans y croire encore, pour tâter le terrain de l'angoisse : fini le calme enchaînement de journées gonflées d'occupations choisies, les questions résolues, le sommeil peut-être. Vous ne le saviez pas : c'était le bonheur.

Vous vous êtes levée. « Pavillon réanimation. » Le trou ne cessait de se creuser en vous. En mettant votre veste, vous vous êtes rendu compte que vos mains tremblaient comme si votre corps, lui, avait déjà accepté ce que votre esprit refusait encore. A la porte seulement, vous avez pensé à votre mari et êtes revenue sur vos pas. Son numéro personnel ne répondait pas. Vous avez eu la secrétaire : « M. Ménessier est en rendez-vous à l'extérieur. Nous l'attendons d'un moment à l'autre. Désirez-vous laisser une commission ? »

Sur l'avenue, rien ne s'était passé. Elle avait ses passants, ses frissonnements de pigeons, ses autobus patauds, ses bancs au bois écaillé et aussi, poignante, cette odeur qui monte des trottoirs d'une ville que l'on aime et qui vous transmet un message d'enfance où le soleil éclaboussait une marelle avec ciel et enfer. Un garçon et une fille vous ont croisée, enlacés, se régalant à une même glace. Hier, vous ne les auriez pas remarqués. Il y avait plusieurs taxis à la station.

J'allais vers un inconnu qui s'appelait Jean-Daniel et qui était mon fils. On l'avait ramassé je ne sais où et porté en réanimation. Dans son portefeuille, parmi d'autres papiers, on en avait trouvé un où étaient inscrits le nom et l'adresse de sa mère. Lorsque, pour le dossier de l'école, je les y écrivais à la rubrique « Personne à prévenir en cas d'accident ? », j'éprouvais toujours un pincement au cœur.

Bien souvent, par la suite, j'ai revécu en pensée ce moment, dans le taxi qui sentait le chien et le tabac, roulant vers l'hôpital. Une chanson qui peut-être n'existait pas tournait sans relâche dans ma tête, créant comme ces brouillages que certains pays font à la radio pour que l'on n'entende pas la voix de la vérité. « Ciel, soleil et mer », je m'en souviens. Chanson à sommeiller sur le sable d'une plage en écoutant éclater les vagues au ras de ses pieds.

Assise sur la banquette, étrangère à moi-même, je regardais défiler les rues d'une ville inconnue et hostile. La voix avait dit : « Votre fils est à l'hôpital. » Vous n'aviez pas demandé ce qui l'y avait envoyé.

Comme si vous saviez.

2

Le commissaire Loisel m'attendait dans le hall. Nos regards se sont croisés et il m'a reconnue tout de suite. C'était un homme au visage gris, à l'imperméable fatigué : un homme comme tout le monde, qui oubliait de se tenir droit. Je ne savais si je devais serrer sa main. Il m'a dit très vite que pour Jean-Daniel, ça allait : on s'occupait de lui; je pourrais le voir bientôt. En attendant, si je le voulais bien, il me poserait quelques questions.

Nous nous sommes assis côte à côte sur deux chaises faites de lanières de plastique grisâtre. En face de mes yeux se trouvait une sorte de comptoir sur lequel était posé un flacon à demi plein de sang avec une étiquette que, de ma place, je ne pouvais pas lire. On avait trouvé mon fils au Luxembourg, près du bassin à poissons rouges; il paraissait dormir mais, lorsqu'un enfant avait heurté son siège, il était tombé de tout son long sur le sol.

Autrefois, nous nous y rendions presque chaque jour, à ce bassin! Nous regardions se croiser dans l'eau les fers d'or des poissons et Jean-Daniel partageait avec eux, en cachette, le pain taché de chocolat du goûter. Présents à ma mémoire, il y a encore l'odeur acide des buis, celle du sol aussi, d'où montait une poussière, les rangées d'étudiants sur les sièges de fer, tendant leurs visages au soleil tandis qu'au-delà des grilles, génie de fumées et brouillards, grondait Paris.

Un gardien, alerté par la mère de l'enfant, avait appelé Police Secours. On avait directement transporté Jean-Daniel ici.

Loisel parlait avec calme, comme d'une histoire ordinaire. Il notait mon nom, adresse, téléphone et métier. Avais-je averti mon mari ? Des gens passaient : des infirmières ou des malades en robe de chambre traînant des espadrilles et qui venaient téléphoner d'un des trois postes muraux.

« Saviez-vous que votre fils se droguait ? »

Je n'ai pas bougé. Mon cœur battait follement dans le trou qui se creusait encore. Non, je ne savais pas ! Je ne me doutais de rien. Et pourtant, tout à l'heure, dans le taxi, tandis que tournait la chanson, qu'essayais-je de fuir ?

« Que s'est-il passé ?

— Selon l'équipe qui l'a transporté ici, il aurait été victime d'une overdose d'héroïne. »

Le mot a éclaté en moi. J'ai fermé les yeux sous le choc : je ne le supportais pas. Héroïne, cela signifiait la mort, le fond du cauchemar, un vertige inacceptable. Pas l'héroïne ! Pas lui !

J'ai rouvert les yeux. Son regard était posé sur moi. Je devais faire attention. Il a demandé :

« Connaissiez-vous bien ses amis ?

— Certains ! Pas tous, évidemment. »

Il a mouillé son doigt pour tourner une page de son carnet : du papier quadrillé. Il marquait une pause entre les questions, comme pour me permettre de reprendre courage. Il portait une alliance particulièrement large. Peut-être avait-il des enfants ?

« Votre fils habitait-il avec vous ?

— Pas depuis deux ans. »

Le crayon s'est remis en marche : domicile, téléphone de Jean-Daniel. Sur la carte d'identité trouvée sur lui, c'était l'ancienne adresse : la mienne ! La date de naissance, il l'avait.

« Vous le voyiez souvent ?

— Très ! Hier encore. Il était en plein examen de droit. Il devait m'appeler ce soir pour me dire si cela avait marché. »

Il « était ». Il « avait »... Voilà que j'en parlais au passé.

J'ai regardé de l'autre côté de la porte vitrée. J'aime deux moments dans la journée : celui où le soleil encore jeune ouvre partout des transparences : tout est miroirs; et le soir, lorsque vient de là-haut comme un regard bienveillant. Dans les allées, appuyée à une canne, une vieille femme marchait à pas économes. C'était sûrement très important pour elle aussi, la vie. C'était quoi, exactement ? Quels moments de sa journée ? Quelles sensations ? Oh ! ne plus sentir ! Je m'efforçais de respirer à fond, calmement, comme on m'avait appris à le faire pour l'accouchement sans douleur. Vous n'évitez pas la souffrance mais le fait de la voir venir, de s'en occuper, vous empêche de crier. Vous pouvez conserver votre dignité.

Une houle est montée dans ma poitrine. J'ai caché mon visage dans mes mains.

« Votre fils peut avoir été la victime de quelqu'un », a dit le commissaire Loisel.

De tout mon être, je me suis accrochée à ce mot : « Victime! » Mais oui, c'était cela! Jean-Daniel avait fait une mauvaise rencontre; cette aiguille dans son bras, ce n'était pas lui qui se l'y était enfoncée; d'ailleurs, il n'avait jamais supporté la vue d'une seringue.

« Vous avez raison, monsieur. C'est cela! J'en suis certaine : victime. Mais qu'est-ce qu'on peut faire? Ils vont le retrouver. Ils recommenceront. »

Je lui avais pris la main et je la serrais. Lui, il savait! Il me guiderait. L'air gêné, il s'est dégagé. Ce n'était pourtant pas moi qui avais prononcé le mot en premier! Il n'allait pas me le reprendre...

« Vous verrez tout cela avec mon collègue du quai des Orfèvres. Dès confirmation du diagnostic, le dossier concernant votre fils sera versé à la Brigade des stupéfiants... »

Il s'est levé. Un homme venait vers nous, très jeune, vêtu de blanc : le docteur Larat. Il me serra la main. On avait placé mon fils sous respirateur artificiel. En principe, il était hors de danger; j'allais le voir dans un instant. A présent, le docteur s'adressait à Loisel. Il parlait d'une voix brève, précise : l'examen toxicologique avait confirmé le premier diagnostic; c'était bien l'héroïne. Mais, plutôt que d'une overdose, il s'agissait probablement d'une piqûre mal faite.

Le commissaire a refermé son carnet. Il m'a dit que la Brigade des stupéfiants m'appellerait le soir même ou demain. Il boutonnait son imperméable. Je n'avais pas envie qu'il s'en aille : un dernier lien qui se détachait entre le vide et moi. Avec lui, et bien qu'il m'eût fait mal, j'avais pu parler; je n'étais pas seule.

Je l'ai rejoint à la porte : « Monsieur! » Il s'est arrêté. « Cette femme... celle qui a trouvé mon fils, j'aimerais avoir son adresse. Je voudrais la remercier, vous comprenez, peut-être que sans elle... » Ma voix s'est brisée. La main sur la poignée de la porte, il me regardait; nous savions tous deux la même chose : lorsqu'on a peur, on prononce n'importe quels mots pour gagner du temps.

Il a baissé les yeux et m'a dit à nouveau que ceci n'était plus de son ressort : ce renseignement faisait partie du dossier qu'il allait remettre à son collègue des stupéfiants. Il m'a serré la main et il est sorti pour toujours de ma vie.

« On va vous préparer! » Je suivais une infirmière le long d'un couloir. Elle ouvrait la porte d'une petite salle blanche qui sentait le drap, le linge propre un peu rugueux, grossièrement plié. « Me préparer? » Je ne comprenais que lorsqu'elle me tendait une blouse, des bottes de tissu blanc, des gants, un masque. Je revêtais le déguisement. Il y avait une glace au-dessus d'un lavabo et, en m'y regardant, parce que ce masque me seyait, durant quelques secondes, je n'ai plus vraiment été là.

On avait appelé au chevet de son fils une femme qui se prénommait Nadine, comme moi. Mais, dans le lit, ce ne serait pas vraiment Jean-Daniel. Si cela avait dû être lui, j'aurais fait comme les autres mères qui crient « non » sûrement, qui protestent et pleurent. Et moi, muette!

12

C'était pourtant Jean-Daniel, dans le lit, attaché à un tube qui sortait de sa gorge; et c'était son cœur que j'entendais battre : cette respiration, comme dans les films à suspense, qui emplit l'écran et crie le privilège inouï de vivre. C'était son souffle, sa vie. Il avait un visage de cire derrière lequel je cherchais en vain une chaleur, une lumière; et dans le trou montait une vague immense, et je n'en pouvais plus d'épouvante et de douleur. Je courais : je courais en arrière, je rejoignais l'enfant à voix claire dont une main tenait fort la mienne et l'autre un seau rempli de bigorneaux sous un ruban de goémon...

Je reprenais mon fils. Je l'entraînais loin de maintenant, au-delà de demain; de tout mon être, j'appelais hier, autrefois, avant.

J'ai senti le mur froid contre mon dos. Le médecin disait quelque chose à l'infirmière. Il y avait une sale odeur partout. La porte s'est ouverte et un autre homme en blanc est entré. Il m'a prise dans ses bras. Les larmes coulaient sur son masque : c'était mon mari; son père.

3

Nous nous sommes connus par petite annonce... Gilles était à l'époque directeur artistique dans un journal de mode et cherchait une accessoiriste. Je débutais dans le métier. L'accessoiriste est chargée de mettre en valeur, par des détails annexes, la marchandise que l'on propose. Ce matin-là, j'étais, je m'en souviens, follement impressionnée en me présentant.

Dans un grand atelier, un homme en jeans et chemise à carreaux, portant la barbe, était penché sur des photos alignées sur une table lumineuse. Il tendait le doigt vers certaines : « Celle-là ! » « Celle-ci ! » Son assistant sortait alors du lot les clichés choisis et y traçait une croix. Lorsqu'il eut terminé, l'homme se tourna vers moi, la main tendue : « Gilles Menessier. » Menessier ? Je connaissais, me semblait-il, ce nom par cœur. En réalité, je l'entendais pour la première fois : il deviendrait le mien quelques mois plus tard.

Entre Gilles et moi, tout s'est passé naturellement, dans l'harmonie. Nous nous ressemblions. Même regard curieux et gourmand sur la vie; même façon d'en savourer le meilleur, de s'attarder le moins possible au désagréable. C'est ce qu'on appelle l'« optimisme », et certains assurent que la vie vous attend au tournant. Travailler pour un journal suppose une lutte de chaque instant : vous êtes entouré de gens souriants prêts à prendre votre place au premier signe de faiblesse. Nous goûtions immensément la chaleur d'un amour partagé, le bonheur surtout de mettre bas les armes, de tout se dire. Faire l'amour était à la fois une façon de se reposer et de refaire ses forces. Je veux dire que nous sommes devenus complices et, pour que cela se sache bien, nous nous sommes mariés.

Notre premier enfant, nous l'avons appelé Jean-Daniel. Jean à cause du père de Gilles; Daniel parce que j'aimais ce nom; je le trouvais doux, léger; j'avais, enfant, eu un ami qui le portait : amour de vacances. Daniel, c'était le miel bruissant de la pelouse ensoleillée que festonnaient les sauterelles; c'était l'eau saumâtre de la rivière qu'il ne fallait pas avaler sous peine de se retrouver paralysé à vie comme un certain cousin dont on devait éviter de parler devant ma grand-mère. C'était la maison dans l'arbre où s'abattait chaque soir une poussière d'étourneaux, deux mains calleuses sur mes reins m'envoyant à l'assaut du ciel sur un siège de balançoire. On peut, à cet âge-là, aimer avec passion.

Nous avons appelé Laure notre fille, née sept années plus tard. Gilles ne portait plus ni la barbe ni le jean. Il dirigeait à présent une agence de photos. J'avais choisi d'exercer pour mon compte le métier de décoratrice et aidais amis et relations à avoir une maison ou un appartement où ils se sentissent bien. Ce que je préférais, c'était deviner la personnalité de chacun afin de créer le cadre où elle s'épanouirait. J'ai pu ainsi sonder l'univers qui sépare parfois les deux êtres formant ce qu'on appelle un « couple ». Certains objets, couleurs ou volumes parlent passionnément à l'un, restent muets pour l'autre. Ceci en apprend souvent plus que bien des confidences.

Il y a toujours un moment où, par politesse, par amitié parfois, le plus souvent parce que l'on a soi-même des enfants et des difficultés, on demande aux mères de famille ce que devient leur progéniture. Je répondais : « Sans problème ! » Jean-Daniel était en seconde année de droit. Gaie et déjà coquette, ce qui était pour moi une façon d'aimer la vie, Laure allait son chemin au lycée. Sans problème !

« Ma chérie, dit Gilles, oh ! ma chérie... »

Sa main quitte le volant, se pose sur mon genou. Ma tête est sur son épaule ; Paris défile dans le brouillard, Paris hostile qui scande : « hier ».

« Bon Dieu, murmure-t-il, mais comment avons-nous pu être aveugles à ce point ? Comment ne nous sommes-nous doutés de rien ? »

Je me rencogne un peu plus. Que veut-il dire ? Aveugles à quoi ? De quoi aurions-nous dû nous douter ? J'essaie de trouver des mots. En vain. Quand vous dégringolez, vous ne cherchez pas pourquoi, vous criez « au secours ». Je n'ai jamais su crier « au secours » à voix haute. Je le répète inlassablement à son cou.

16

Sa main m'abandonne, reprend le volant. C'est elle que je fixe : forte, large main d'homme que j'aime lorsqu'elle se pose sur moi, devient douce, caresse, ouvre; lorsqu'elle devine. Elle me rappellera toujours celle qui désignait les photos : « Celle-là »... « Celle-ci »..., puis qui m'a désignée.

« Bon Dieu !... »

Son front s'appuie au mien. La voiture est arrêtée à un feu. Il a plu et les lumières se reflètent sur les trottoirs. Est-ce que dorénavant chaque chose aura pour moi ce poids de souvenir et de souffrance ? C'est après la pluie en Côte-d'Or : une maison de paysan très simple, éloignée de tout, ce qui veut dire proche de l'essentiel; les nuances d'un ciel que ne gâchent aucun fil tendu, aucune laide pyramide de pierre ou de béton, le passage du vent sur un plateau pur de tout bruit de circulation. Une maison baptisée *La Maison*. Un petit garçon appelé Jean-Daniel m'entraîne par les chemins humides, me mène à une grosse pierre entourée de coquilles d'escargots : les « petits gris », les « chagrinés », comme on les appelle par ici. Il me montre un arbre; c'est là, m'explique-t-il, que se cache l'oiseau qui prend les escargots dans son bec et s'élève haut pour les laisser tomber sur la pierre afin de pouvoir en déguster la chair. « Qu'est-ce qu'on peut faire pour les escargots, maman ? » demande mon fils, angoissé. « Dis-moi, qu'est-ce qu'on peut faire ? »

Monté du plus profond, un sanglot me déchire : « Qu'est-ce qu'on peut faire pour les escargots ? »

« Pleure, murmure Gilles, oui, ma douce, pleure. »

La voiture est arrêtée près de la maison. De son

mouchoir qui sent le tabac, Gilles essuie mon visage. Là-haut, au quatrième étage, ces trois fenêtres éclairées, ce sont celles du salon où Laure nous attend. « Nous ne lui dirons pas tout de suite... Pour elle aussi, cela risque d'être un choc. On pourrait parler d'un accident, pour commencer. Après, on verra. »

Une petite fille sage en robe de chambre fleurie, sentant bon le savon, est assise sur le canapé du salon. Elle a étalé ses cahiers autour d'elle et travaille devant la télévision; elle l'éteint dès qu'elle nous voit entrer.

« Qu'est-ce qu'il a, Jean-Daniel ? »

Je vais à la cheminée et prends une cigarette. Gilles s'assoit à côté de sa fille. Je les vois tous les deux dans la glace : il caresse ses cheveux; elle le fixe avec sérieux, son stylo encore dans la main.

« Comment sais-tu qu'il a quelque chose ?

— Un monsieur de ton bureau a appelé. J'ai marqué son nom sur le carnet; il voulait savoir comment il allait. Il faut le rappeler avant de dormir; même si c'est tard. »

Gilles rencontre mon regard dans la glace.

« Hervé », explique-t-il.

Ils étaient ensemble lorsque la secrétaire a transmis mon message : juste un nom d'hôpital, et « Viens ».

C'est vers moi que ma fille se tourne maintenant. Elle voit tout, je le sais : mon visage sans fard, mes cheveux épars et que j'ai pleuré.

« C'est la drogue, n'est-ce pas ? » dit-elle.

4

Ses bras m'ont entourée, ses jambes; sa main m'a
cherchée. Il voulait faire l'amour, mais je ne pouvais pas; le plaisir, non! J'avais, autrefois, appris
en philosophie qu'en chacun de nous se disputent
deux forces : celle de vie, celle de destruction. La
force de vie m'échappait; je voulais dormir, m'abîmer. J'ai arrêté la main de Gilles. Je suis allée à
Jean-Daniel; je me suis glissée près de lui, j'ai fait
mienne sa respiration. Nous avons sombré.

Le soleil est levé. Paris est bleu derrière les
carreaux. Laure me tend la brosse.

« S'il te plaît, ma natte. Il est huit heures! »

Je m'assois au bord du lit : elle se case entre
mes jambes. Je sépare en trois la masse des cheveux; on pense au blé mûr.

« Où est ton père?

— Il téléphone. Vous serez là, ce soir?

— Bien sûr.

— C'est pour mon carnet. Il y aura mon carnet
à signer.

— Pas de problème. »

La tresse est épaisse, aux reflets de pain chaud. Le carnet, c'était pour tâter le terrain de son univers de fillette heureuse : elle redoute qu'il change. J'emprisonne le bout de la natte entre les pinces de la barrette et, brièvement, l'effleure de mes lèvres.

« A ce soir, m'man.

— A ce soir, ma douce. »

Du bout du doigt, elle fait rouler le tube de somnifère sur la table de nuit puis, quitte la chambre. « C'est la drogue, n'est-ce pas ? »... et, devant notre silence, deux lèvres serrées comme pour retenir un secret. Nous n'en avons presque rien tiré : un jour, un drôle de type est venu demander son frère; il faisait peur avec ses yeux ! Une autre fois, Jean-Daniel était bizarre. C'est tout. Que voulait-elle dire par « bizarre » ?

Je me lève et vais à la fenêtre. Tout me semble lourd, arrêté. Le monde n'est plus le même et je suis la seule à m'en apercevoir. J'écarte le rideau.

Ma petite fille attend l'autobus sur le trottoir d'en face; elle a retrouvé une amie; toutes deux portent un jean, un foulard bariolé autour du cou et, en bandoulière, un sac de toile verte de l'armée américaine.

« Tu es levée ? »

Gilles vient d'apparaître à la porte, poussant la table roulante. Tout y est pour le petit déjeuner : pain grillé, confiture, café et lait : un pamplemousse aussi, comme le dimanche. Il pourrait ne s'être rien passé. Je raconterais : « Pour Jean-Daniel, les examens, ça a marché comme ci, comme ça. » Il rirait : « Ce pauvre *comme ça*, pourquoi vient-il toujours en dernier ? Et *de-ci*, *de-là*... et *par-ci*, *par-là*... »

Je reprends place sur le lit. Gilles approche la table, tire une chaise : ce matin, nous ne nous raconterons pas les histoires quotidiennes, celles du plaisir de vivre ensemble, d'avoir un travail qui nous satisfait et, devant nous, une soirée à partager. Nous ne sommes plus que deux vieux enfants trompés par la vie.

« J'ai eu Martin, dit-il. Il a été formidable ; il a tenu à appeler tout de suite l'hôpital. Jean-Daniel a passé une bonne nuit. Nous pouvons y aller à partir d'une heure et demie. »

Martin est un cousin médecin. Gilles verse le café dans ma tasse : j'en veux encore ! Trop ! Pour faire battre mon cœur ; pour me punir de je ne sais quoi.

« Pour l'instant, je préférerais ne parler de rien à personne !

— Je comprends », dit-il.

Ce qui se passe est à nous. Insupportable, l'idée de voir les autres s'en emparer. Ils mettront tout cela en phrases, trouveront des explications, s'imagineront comprendre alors que nous sommes dans la nuit. Bien calés dans leur vie intacte, ils se permettront de nous plaindre ; je ne veux pas de leur pitié ; ni pour Jean-Daniel, ni pour moi. Aujourd'hui, les autres sont des étrangers.

Gilles tend la main et écarte la mèche qui s'égare toujours sur mon front ; cela a été l'un de ses premiers gestes de tendresse ; ce matin, c'est me dire : « Malgré le temps passé, je t'aime. »

« Tu sais, murmure-t-il, tout à l'heure, quand je

me suis réveillé, je me suis dit : C'est fou ce qu'on pouvait être heureux ! »

Le téléphone sonne. Je le laisse y aller. C'est fou, oui, c'est fou ce qu'on pouvait être heureux ! De petites choses, d'instants. Moi, c'est par bouffées, le bonheur; cela flambe avec une odeur, un reflet, quelqu'un; c'est déjà loin, mais reste la chaleur.

« Le quai des Orfèvres, dit Gilles en revenant. Un certain inspecteur Laffond. Il nous attend à onze heures trente. » Et il ajoute plus bas : « Brigade des stupéfiants. »

Tandis qu'il s'habille, je bois mon café à petites gorgées; il m'explique d'un air un peu gêné qu'il va devoir passer à son bureau. Hier, il a tout laissé en plan; il reviendra me chercher. Je refuse : moi aussi, j'ai à faire. Je le rejoindrai là-bas.

« A faire ? » Son regard est inquiet. J'explique : « Un rendez-vous avec Ghislaine pour choisir des échantillons de tissu. Nous devions nous retrouver à dix heures dans la boutique; je crains de ne pas arriver à la joindre pour décommander. »

Je mens très bien. Je sais ce qu'il va me dire, une phrase un peu pompeuse : situation oblige.

« Décommander ? Pas question. Il faut continuer à vivre. »

J'ai hâte qu'il s'en aille. Il y a des moments où l'amour n'est plus d'aucun recours : il entrave la douleur. Il y a des moments où si la douleur ne s'épanouit pas, elle vous étouffe.

J'ai attendu quelques minutes après que la porte eut claqué. Il était neuf heures : cela irait !

J'éprouvais une hâte mêlée de peur, comme avant un rendez-vous important. Ghislaine était encore chez elle : elle ne m'a pas demandé d'explications; un jour, elle remarquerait : « Mais qu'est-ce que tu avais donc, ce matin-là? Je t'ai trouvé une drôle de voix. » Dans le tiroir du secrétaire, j'ai pris une longue clef à laquelle était attachée la toute petite clef d'une boîte aux lettres.

Dehors, l'air était déjà doux; les feuilles des arbres avaient des teintes tendres. A midi, la pierre des maisons est tiède sous votre main; Paris est mûr. Le soleil vous tire aux épaules, la tête vous tourne et l'on a l'impression de n'être plus tout à fait là. Au Quartier latin, les terrasses des cafés s'animaient. Mon fils aimait venir y travailler; il disait qu'il s'y sentait à la fois avec et sans les autres. Des serveurs à longs tabliers posaient sur les tables des croissants sous globes; on pouvait reconnaître les étrangers à leur regard différent. J'avais envie qu'ils aiment Paris.

Le studio de Jean-Daniel se trouvait au dernier étage d'une maison rénovée. Nous avions été si heureux de le lui trouver! A la maison, il partageait sa chambre avec Laure; ce n'était plus possible. Nous voulions qu'il pût, à son aise, recevoir ses amis.

En passant, j'ai pris son courrier dans la boîte; apparemment, rien d'intéressant : des prospectus. L'escalier était ciré, les marches glissaient. Il y avait une seule porte par palier. Derrière celle du troisième étage, un air de musique. Je me suis arrêtée : soudain, j'avais du mal à trouver ma respiration et je ne sentais plus mes jambes.

J'ai d'abord vu la tenture arrachée; elle pendait à divers endroits du mur, révélant comme une lèpre, des morceaux de plâtre. J'ai vu la laine et le crin autour du matelas éventré, un tableau brisé. Il n'y avait pas un objet intact, pas un tiroir fermé; ce grésillement, c'était le téléphone décroché; on en avait dévissé le récepteur. Et, sur le sol, un tapis de lettres, papiers, photos.

Mes tempes battaient à coups profonds. La police? Voilà donc comment ils procédaient? Je ne pouvais y croire. Je me suis frayé un chemin jusqu'à la cuisine; là aussi, tout avait été bouleversé : armoires vidées, vaisselles en vrac. La fenêtre était ouverte : vagues de toits gris hérissés de mâts, écume de nuages dans l'outremer du ciel, flux et reflux des voitures, pigeons-mouettes. « Mais où sont donc les coquillages? » plaisantait Jean-Daniel.

J'ai fait couler l'eau dans l'évier, sur le globe que l'on avait arraché du plafond, et m'en suis aspergé le visage. Je ne parvenais plus à penser. Je ne voyais plus clair. La respiration grossie de Jean-Daniel à l'hôpital battait dans ma poitrine; c'était à nouveau son visage d'hier, inconnu et terrifiant.

Il y a eu un bruit dans le studio et le grésillement du téléphone a cessé : quelqu'un avait raccroché. La peur au ventre, je suis revenue à la porte.

Un homme se redressait. J'ai demandé : « Qui êtes-vous? » Ce n'était pas ma voix. Il a eu comme un sourire : « Un flic. » La tempête montait. J'ai montré la pièce : « Bravo! »

Il a secoué la tête : « Nous sommes passés hier

dans la soirée, mais ils nous avaient précédés; c'est presque toujours comme ça; et ils connaissent toutes les cachettes. »

Je ne comprenais pas. Machinalement, j'ai répété : « Toutes les cachettes ?

— Pour la dope, bien sûr », a-t-il dit.

5

ALORS je hurle : « Foutez le camp ! » Je n'en peux vraiment plus ! C'est trop ! La « dope », maintenant ! Ce mot qui porte la mort : une mort sale, vulgaire. Et qu'est-ce qu'il fout chez moi ? De quel droit est-il là ? Des deux mains, je le repousse : qu'il me laisse, qu'il nous laisse. Sur le sol, cette table de nuit renversée, c'est Jean-Daniel ! Cette tenture, nous l'avions posée ensemble ! Ces lettres sont les miennes. C'est moi qu'on viole, déchire et souille. Je suis nue, à vif. Jean-Daniel, c'est moi ! Et on ne cesse de me l'arracher.

Ses mains s'emparent de mes poignets : « Suffit ! Calmez-vous ! » Il cherche à m'entraîner. Je pèse de tout mon poids. Il me traîne jusqu'au fauteuil : il appuie sur mes épaules. Je résiste. Il me gifle. Tant mieux ! Frappez encore ! Tuez-moi si vous voulez. Je veux.

« Buvez ! »

Non ! Je tourne la tête de droite à gauche et l'eau coule dans mon cou. Je pleure à présent. Il pose le verre sans me lâcher des yeux. Est-ce lui qui a refermé la porte ? Je hoquette : « Je suis sa mère, vous comprenez ? » Il y a en moi une telle impuissance! Il répond : « Je sais » et me tend une photo, dans un cadre brisé qu'il vient de ramasser.

C'est un petit port du Midi où la vie semble légère. Les bateaux se balancent le long du quai, heurtant leurs colliers de bouées colorées. Là-bas, on aperçoit un homme. Je me souviens de tout! Il brossait son pont. Il portait un affreux chapeau qui semblait faire partie de son bonheur à vivre. Mon bras était passé sous celui de mon fils. J'entends le cri des mouettes qui patrouillent au-dessus de nos têtes! Comme l'oubli, les mouettes.

Je murmure : « C'était à Pâques dernier!

— Et c'était à Saint-Raphaël, remarque-t-il. Je reconnais. J'y suis allé. »

Lui? Assis en face de moi, penché en avant, le front plissé, il me regarde. L'âge de Gilles, mais plus massif; davantage de cheveux blancs, me semble-t-il, yeux bleu-gris.

« Je vous demande pardon pour tout à l'heure. »

Il incline juste un peu la tête. Je montre les dégâts : « Qu'est-ce que vous allez faire? Vous allez les retrouver, n'est-ce pas? Vous voyez bien qu'ils sont dangereux! »

Il allume une cigarette, posément. Ses yeux reviennent sur les miens.

« Quand vous dites " ils ", de qui voulez-vous parler? De gens que vous connaissez? Que votre fils connaît? »

Le ton de sa voix me secoue. C'est un flic! Un envoyé du Quai des Orfèvres, sûrement; j'allais l'oublier.

« Je ne connais personne capable d'une telle... ignominie. Mon fils non plus, j'en suis sûre...

— Pourquoi êtes-vous venue? » interroge-t-il.

Mes yeux se remplissent de larmes. Je me sens très fragile, à la merci d'un mot, d'un geste.

« Pour essayer de retrouver Jean-Daniel. Et voilà... »

Tandis que je me mouche, il se lève, se fraie un chemin dans la chambre, furetant de tous ses yeux.

« Selon vous, que s'est-il passé? »

Je prends mon temps pour répondre. Je préférais Loisel et son carnet : il me paraissait moins dangereux. Il y allait franchement, lui!

« Tout ce que je sais, dis-je, c'est que Jean-Daniel a toujours été un garçon trop confiant. Je suppose qu'il a fait de mauvaises rencontres; il s'est laissé entraîner; les choses l'ont dépassé. »

Il ne répond pas : visiblement, il ne me croit pas. C'est son sale boulot, de voir en chacun le plus mauvais côté. Il est d'un autre monde.

A mes pieds, je reconnais le carnet d'adresses de Jean-Daniel : l'homme me tourne le dos; j'en profite pour le ramasser.

Le carnet est vide! L'intérieur a été arraché; ne restent que quelques numéros inscrits sur la couverture.

« Ça non plus, il n'ont pas tenu à ce que nous le trouvions », remarque le policier.

A mon tour, je me lève. Je suis follement lasse. Il me semble que chaque seconde m'enfonce un peu plus.

Je vais à la fenêtre et l'ouvre. Respirer!

« Cela fait-il longtemps que vous n'étiez venue chez votre fils ? interroge l'homme.

— Depuis l'été dernier. Jean-Daniel préférait nous voir à la maison. Il passait très régulièrement. Avant-hier encore... »

Il va vers la porte qui mène à la cuisine et la referme. On y a dessiné comme une succession d'éclairs : couleurs éclatantes. « Vous connaissiez cela ? »

Je secoue la tête : « Non ! » Son doigt désigne à présent le plafond : « Et cela ? »

Non plus ! « LA PLANETE »... Le mot a été inscrit en lettres dorées à l'aide d'une de ces bombes qui servent à décorer les vitrines pour les fêtes : *La Planète...*

« L'inscription est assez ancienne. En tout cas, elle ne date pas d'hier. Nous avons vérifié : la peinture était sèche. Pensez-vous que ce soit votre fils qui l'ait écrite ? »

Je n'en sais rien. Et qu'importe ? Le « T » peut-être ! Il les barre très largement, comme ça. Laure s'est servie d'une couleur semblable pour inscrire « Joyeux Noël » sur la glace du salon.

« Qu'est-ce que ça peut faire que ce soit lui ou un autre ?

— Ce mot peut avoir une signification particulière », dit l'homme.

Le ton de sa voix me fait peur. J'ai toujours vu venir les coups ; un instinct m'avertit lorsque quelqu'un va me blesser et je sais quand je ne suis pas aimée. Je me tourne vers Paris : poème de pierre, d'eau et de chair que fendent des péniches, que percent des clochers.

« Quelle signification, monsieur ? »

Il ne répond pas tout de suite.

« C'est ainsi que les toxicos appellent l'univers qu'ils découvrent au moment du " flash ", finit-il par expliquer. Je veux dire quand la drogue les fait décoller : la planète ! »

J'ai fermé les yeux. J'ai très froid. Je murmure : « Je vous en prie, monsieur, laissez-moi ! » Je sens son hésitation. Je viens vers lui; la vraie solitude vous rend fort, parce qu'on se fout de tout. « Je ne toucherai à rien. Je resterai très peu de temps mais, s'il vous plaît, laissez-moi ! »

De toutes mes forces rassemblées, je cherche à atteindre, derrière celui qui se définit par « flic », l'homme qui, quelque part, me ressemble. Il détourne les yeux, incline brièvement la tête, s'en va.

6

Un soir d'été, nos enfants avaient dix et trois ans, c'était l'époque des « vaches maigres », comme disait Gilles, pas question de vacances chères, d'avion, de location, de sports coûteux; nous passions nos vacances à *La Maison*. Un soir de grosse chaleur, Jean-Daniel m'avait convaincue de dormir dehors avec lui; c'était là une de ses passions : il s'installait dans un sac de couchage au fond du jardin et plongeait, nous expliquait-il gravement, dans la « belle-étoile ».

Il avait gonflé un matelas pour moi à côté du sien. Après dîner, nous sommes allés nous y étendre. La lune était pleine : le ciel, lourd d'étoiles, paraissait étrangement proche; on avait la sensation aiguë d'être, si l'on peut dire, « au premier rang du balcon », et, de ce fait, infiniment vulnérables. « Est-ce que tu te sens monter? demandait Jean-Daniel. Est-ce que tu y vas? Est-ce que tu y entres? »

Sa voix frémissait. Une intense excitation intérieure éclairait son visage. Emue et angoissée, j'essayais de le suivre; je me sentais à la traîne de ce bonheur qui m'effrayait un peu. Sans doute eussé-je préféré que, comme ses amis, il fût ce soir au spectacle de la télévision plutôt qu'à celui du cosmos. J'ai pris sa main, je l'ai serrée et j'ai dit : « Emmène-moi. »

« La Planète »... Etendue sur le matelas éventré, j'ai fixé longtemps le mot. Lorsque l'homme m'en avait donné la signification, j'avais su que c'était mon fils qui l'avait écrit, tout comme, dans le taxi qui me menait à l'hôpital, je savais sans raison, mais profondément, que l'on me parlerait de drogue. Et, comme ce soir d'été, mais désespérément, je tendais la main vers Jean-Daniel et je suppliais : « Emmène-moi ! »

Dehors, la sirène d'une voiture de police a retenti. Je me suis levée. Je me sentais vide, loin de moi, en suspens. La « belle étoile »... Pourquoi, depuis hier, pensais-je si souvent à cette maison dans la campagne ? Nous n'en parlions presque jamais. Jean-Daniel n'avait pas protesté lorsque nous avions décidé de la vendre pour acheter l'appartement de Cannes. Les « vaches maigres » étaient terminées. La plupart de nos amis prenaient leurs vacances dans le Midi et nous projetions de nous mettre au golf. Les enfants pourraient avoir là-bas un « groupe », chose impossible dans le coin isolé où se trouvait *La Maison*. Et c'était à Cannes, effectivement, que, quelques années plus tard, Jean-Daniel avait rencontré Anne-Marie. Il faudrait que j'appelle Anne-Marie.

Comme promis, je n'ai touché à rien ; j'ai seulement fermé les fenêtres. Dans l'escalier, des odeurs de cuisine montaient. Il était plus de onze heures, déjà ! Une femme guettait mon passage

sur le palier du troisième. Elle a demandé :
« Qu'est-ce qui s'est passé ? »

Elle ne devait pas avoir plus de vingt-cinq ans.
Elle portait un tablier sur son jean. Si j'avais
senti de la curiosité dans sa voix, je n'aurais pas
répondu, mais elle avait l'air véritablement
concernée. J'ai dit : « C'est mon fils. Un accident.

— Entrez une minute », a-t-elle demandé d'un
ton de prière.

C'était le même studio que celui de Jean-Daniel;
mais, ici, une famille vivait. Il y avait un enfant
dans un parc, près du mur un panier plein de
linge à repasser, une cocotte sur le feu.
« Asseyez-vous ! »

J'ai pris place devant la table couverte d'une
toile cirée; la jeune femme allumait sous une cafe-
tière, posait deux tasses sur la table. Devant la
fenêtre, j'ai reconnu la grande plante verte que
nous avions offerte à Jean-Daniel pour Noël. Son
regard a suivi le mien.

« Quand l'un de nous deux s'absentait, il
confiait sa plante à l'autre, a-t-elle dit avec un
sourire. C'était pratique. »

Elle a montré l'enfant : « Et Jean-Daniel aimait
bien Mathieu, aussi. »

Mathieu nous regardait. Il avait de superbes
yeux clairs. Sa mère a versé du café dans les tasses.

« La police est passée hier. Ils m'ont demandé
si j'avais entendu du bruit. J'étais sortie avec le
petit. Ils ont dû venir pendant ce temps-là, parce
que je n'ai rien entendu. »

Elle a hésité : « Il va s'en tirer, n'est-ce pas ? »

J'ai acquiescé. J'ai entouré ma tasse de mes

mains et j'ai demandé : « Pouvez-vous me parler encore un peu de lui ? »

Elle a puisé son fils dans le parc et l'a assis sur ses genoux. Elle parlait, le menton sur la tête de l'enfant, au ras des cheveux très fins que son souffle soulevait.

« La première fois qu'il est descendu, c'était pour m'emprunter mon ouvre-boîte. Il vous ressemble beaucoup, vous savez ? Je lui ai dit de ne pas hésiter : entre voisins ! Mathieu dormait et il l'a regardé un temps fou, comme s'il n'en revenait pas. Il a dit une drôle de chose. Il a dit : « Il est innocent. » Après, il est revenu de temps en temps. Il avait toujours peur de gêner. Il s'asseyait là et il me disait : « Ne vous occupez pas de « moi, au contraire. » Son « au contraire », ça me faisait rire. Je lui répondais : « Ce que tu veux, si « je comprends bien, c'est me regarder travailler, « c'est ça ? » Et il répondait : « C'est ça. »

Elle a ri légèrement. L'enfant s'est mis à rire lui aussi, en l'imitant maladroitement. Il cherchait à attraper sur la table une minuscule miette de pain. Elle l'a collée au bout de son doigt et la lui a donnée à manger; c'était beau. J'avais, moi aussi, envie de lui dire : « Ne vous occupez pas de moi, au contraire. » Je comprenais ce mot : « transfusion ». Sur une étagère, il y avait la photo d'un jeune homme. J'ai demandé : « Son père ? » Elle a incliné la tête : « Il travaille chez un Italien. Il nous rapporte des tas de bonnes sauces... »

Il était plus de midi quand je suis arrivée au quai des Orfèvres. Gilles m'avait attendue un moment, puis il était monté. Un homme m'a guidée le long de couloirs qui n'en finissaient pas. Il a frappé à une porte.

Mon mari s'est levé en me voyant entrer : « Que t'est-il arrivé ? Je m'inquiétais. » J'ai répondu : « Rien, tu vois, juste un peu de retard. » L'homme, derrière le bureau, s'est levé lui aussi. Gilles me l'a présenté : « L'inspecteur divisionnaire Laffond. » J'ai serré sa main et il a dit d'un ton neutre : « Asseyez-vous, madame. »

Je ne pouvais détacher les yeux de ce regard gris-bleu et j'entendais à nouveau les mots qu'il avait prononcés tout à l'heure, dans le studio de Jean-Daniel : « La Planète. »

7

Parfois les jours filent, les heures : paysages rapides aux couleurs fondues que fait vaguement chatoyer une même brise. On dit avec regret que l'on ne voit pas le temps passer; mais ça va ! La brise est douce !

Parfois le temps s'arrête : chaque seconde se met à compter; on n'est plus porté, on porte et l'on calcule en siècles. Hier, j'aurais résumé ma vie en trois phrases ailées; je voudrais en dire chaque minute : toutes brûlent.

C'est d'abord l'inspecteur divisionnaire Laffond qui a parlé : trop souvent, a-t-il dit, les parents qui venaient le voir le considéraient comme un ennemi; ils s'enfermaient dans une attitude coupable, refusaient de collaborer. Nous devions savoir que son but n'était pas de condamner mais de comprendre et d'aider : pour lui, notre fils était tout simplement un garçon à essayer, par tous les moyens, de sortir du pétrin où il s'était mis.

Bien sûr, s'il s'était agi d'un revendeur, d'un récidiviste, les choses seraient allées autrement; mais il n'avait jamais vu Jean-Daniel au Quai; pas de fiche à son nom dans ses dossiers; nous pouvions être tranquilles : aucune sanction ne serait prise contre lui; juste l'avertissement de rigueur.

Penché en avant, le front tourmenté, aux lèvres cette crispation que je connaissais bien et qui indiquait la détermination, Gilles écoutait de tout son être : Gilles participait. Le plus souvent, c'était lui que Laffond regardait; lorsqu'il se tournait vers moi, il y avait aussitôt entre nous un studio dévasté, des cris, une photo du passé, mes larmes; j'avais appuyé mes mains sur la poitrine de cet homme pour le pousser dehors : mes poignets me brûlaient encore à l'endroit où il les avait serrés pour me traîner jusqu'au fauteuil.

Il expliquait sans me regarder que, dès réception du dossier, hier, il avait envoyé des hommes au domicile de notre fils, mais le lieu avait déjà été visité : toutes les cachettes classiques fouillées; ses hommes étaient rentrés bredouilles.

« Mais comment ont-ils pu savoir ce qui était arrivé à Jean-Daniel ? s'est étonné Gilles.

— Dites-vous seulement, a répondu Laffond, que dans le milieu des toxicos, les nouvelles se répandent très vite. »

Le milieu des toxicos... les cachettes classiques... chaque mot me déchirait. J'ai demandé : « Qu'appelez-vous " l'avertissement de rigueur "?

— Il devra s'engager devant le procureur à se faire soigner et à ne pas récidiver, bien sûr. »

Puis il a ouvert le dossier et il nous a posé des questions précises : de combien d'argent disposait Jean-Daniel par mois ? Etait-il récemment allé à l'étranger et dans quel pays ? Connaissions-nous ses amis ?

Je laissais Gilles répondre : cet homme avait

beau dire, derrière lui il y avait des murs de prison, des sentences, des condamnations; un monde de soupçon, de doute; l'inverse de la confiance. Il notait : nous donnions à notre fils le minimum vital : il se débrouillait pour le superflu. A notre connaissance, non, il n'avait pas voyagé ces derniers temps et depuis qu'il avait déménagé, nous voyions très rarement ses amis.

Il a refermé le dossier et croisé ses mains dessus.

« Vous avez certainement des questions à me poser ? »

Gilles s'est tourné vers moi et j'ai fait « non ». Il a levé le doigt.

« Vous devez voir défiler beaucoup de jeunes, inspecteur. Je voulais juste vous demander : " Pourquoi ? " »

Un vertige m'a traversée. « Oui, pourquoi font-ils ça ? » a-t-il répété. Sa voix a fléchi et j'ai compris que, pour lui aussi, les mots étaient devenus déchirants.

L'inspecteur Laffond a mis un moment à répondre. J'ai senti son regard sur moi, comme s'il me demandait d'être particulièrement attentive.

« Je vois en effet passer un certain nombre de jeunes, a-t-il dit : fils ou filles de hauts fonctionnaires comme enfants d'ouvriers. J'en vois dont les parents n'ont rien à se reprocher : des enfants de familles unies, aimantes, et j'en vois aussi de foyers désunis ou de parents qui ont démissionné. »

A nouveau il a réfléchi. Pourtant, elle devait se poser à lui chaque jour, cette question : « Pourquoi ? », à chaque visage de jeune qui lui était amené; à chaque nouveau dossier.

« Je puis simplement dire deux choses : Une !
Plus il y a de drogue sur le marché, plus il y a de
drogués ! Deux ! Pour un certain nombre de jeunes, la dope semble être le chemin d'un plaisir,
d'une chaleur de vivre qu'ils ne trouvent pas dans
le monde actuel. »

Un homme est entré avec un dossier; il l'a posé
devant Laffond qui l'a lu avant de le signer. Gilles
n'avait pas changé de position. Si j'avais posé ma
main sur sa poitrine, je n'aurais pas senti sa respiration. J'avais du mal à trouver la mienne. J'essayais de remonter, de surmonter les paroles de
Laffond; alors, pour commencer, je m'obligeai à
regarder les petites choses de la vie : cette pièce
par exemple.

Un de mes thèmes favoris est que le lieu où
travaille quelqu'un devient fatalement son miroir.
Mettez quotidiennement un homme dans une
chambre anonyme, elle prendra son empreinte;
vous le verrez à des détails infimes : la place des
objets, une tache sur le bureau, l'endroit où la
moquette est un peu plus usée qu'ailleurs : c'est
ainsi qu'un lieu vous reflète.

Quatre murs nus, trois chaises, un bureau, un
classeur, une lampe. Cette pièce ne m'apprenait
rien : elle n'était rien. Et pourtant, ici, se jouait la
vie, la chair, le brûlant de la vie : la veine gonflée
de la vie.

L'homme est reparti avec le dossier. Laffond
attendait. J'ai demandé : « Pensez-vous retrouver
les responsables ? »

Gilles a tourné vers moi un visage étonné. « Je
veux parler de ceux qui ont procuré cette drogue
à notre fils, ai-je précisé, les gens qui s'attaquent,

vous l'avez dit vous-même, aux enfants des lycées : ces assassins. Et lorsque vous les avez pris, inspecteur, que leur faites-vous ?

— Pour aller jusqu'aux vrais responsables, la filière est souvent longue, a dit Laffond. Le criminel est celui qui vit de la dope sans en user pour son propre compte. Il est probable que la personne qui a procuré l'héroïne à votre fils n'en était elle-même que l'une des victimes. »

Il avait prononcé le mot : « victime! » Il s'est levé. Il nous tendait sa carte. Nous pouvions l'appeler n'importe quand. De toute façon, nous nous reverrions bientôt.

Il a serré la main de Gilles et s'est incliné devant moi : « Madame! » Je n'étais pour lui qu'une mère parmi toutes celles qui étaient venues s'asseoir là avec des yeux brûlés, une de celles qui auraient souhaité ne jamais le connaître et feraient tout pour l'effacer.

Et pourtant, le suivant le long des couloirs anonymes, semblables à ceux d'une école, autrefois, où le bruit de mes pas sur le plancher nu soulevait des souvenirs de parquet poussiéreux, peinture écaillée, journées sans fin, je me demandais qui était cet homme; comment étaient son toit, sa femme, sa vie. J'aurais voulu savoir si, lorsqu'il était assis dans son bureau, faisant son métier de chien, il entendait encore couler la Seine à quelques pas : la Seine répéter : « toujours » avec la proue de ses péniches; la Seine dire : « plus jamais » dans le sillage mêlé de ciel qui se referme derrière elles.

8

IL dort : la bouche ouverte, les yeux clos, étendu
bien droit, main de chaque côté de son corps. Ses
joues ont repris des couleurs; ses cheveux sont
collés à son front; il a chaud.

Il dort sans tubes, sans fils; il vit sans aide. On
a repoussé la machine dans un coin : le bruit de
sa respiration lui appartient.

Gilles tient ma main. J'ai une peur folle qu'il se
réveille, ouvre les yeux, nous découvre. C'est trop
tôt. A part « je t'aime », je ne saurai rien lui dire.

Puis un homme en tablier blanc, dans un bistrot quelconque, pose devant mon mari et moi
une omelette, du pain et du vin. Gilles remplit
mon verre. Ce silence entre nous c'est à cause du
poids des choses à se dire : elles ne passent pas. Il
faut, avant tout, se réacclimater aux choses
modestes : respirer, éprouver le creux de la faim,
la chaleur neuve du soleil qui joue sur le coin
d'une table, le déchirement d'un rire.

« Ce Laffond m'a fait plutôt bon effet, remarque enfin Gilles. Ce que je n'ai pas compris, c'est
ta dernière question.

— Qu'est-ce que tu n'as pas compris ?

— Il est évident qu'il va rechercher les coupables; c'est son boulot; il fait ça toute la journée. Il me semble que le problème n'est pas là. C'est à Jean-Daniel que nous devons penser. Comment en est-il arrivé là? Qu'est-ce qui s'est passé? »

Je regarde la rue, y cherchant des jeunes. J'en voix partout depuis hier et ils me semblent heureux.

« Si Jean-Daniel était resté à la maison avec nous, si nous ne lui avions pas trouvé ce studio, crois-tu que cela lui serait arrivé?

— Comment savoir? dit Gilles. Peut-être. Peut-être pas. Qu'est-ce que ça change? C'est arrivé. »

Il hésite, sur le point de dire quelque chose, mais non! Je repousse mon assiette. Plus faim! Il termine son omelette, redemande du pain. Il predra du fromage. Je tourne mon verre dans ma main. Il faut être malheureux, ou peut-être très heureux, pour redécouvrir que la couleur du vin est belle et regarder dans ses chatoiements les couleurs de la vie. Je n'ai envie que de ça, de café, et d'être assise en face d'une femme qui tend à son enfant une miette de pain collée au bout de son doigt : une femme qui ferait « comme si je n'étais pas là, au contraire ».

Plus tard, dans le salon, à l'heure où hier le téléphone a sonné, la tête appuyée au dossier du canapé, je tente de me souvenir. De quoi avions-nous parlé l'autre soir, avant-hier, avec Jean-Daniel? Je l'avais trouvé à la maison en rentrant du travail. Il pleuvait. Ses cheveux étaient mouillés. J'avais fait du thé.

« Et tes examens, tu es prêt?

— Ça devrait aller.

— Ils sont sympa, tes professeurs ?

— Plutôt, oui.

— Et Anne-Marie, elle va bien ?

— Très en forme.

— Tu nous l'amènes bientôt ?

— Bientôt. Mais toi, maman, comment ça va ? Es-tu contente ? »

« Contente... » pudeur des mots. Dans sa bouche, cela voulait dire « heureuse ». Il voulait savoir si j'étais heureuse. Parce qu'il ne l'était pas ?

Je sors la carte de mon sac et décroche le téléphone. Ma main tremble. On me passe directement l'inspecteur Laffond. J'annonce : « C'est moi », et il ne demande pas qui. Il répond : « Oui ». Je contrôle ma voix : « Inspecteur, est-ce que mon fils peut avoir fait ça sans grandes raisons ? Parmi ceux que vous voyez passer, certains sont-ils simplement victimes d'accidents ?

— Que voulez-vous dire par " accident " ? demande Laffond, et déjà je regrette de l'avoir appelé.

— Mais je ne sais pas ! Je cherche, vous comprenez. Par exemple, on vous offre de la drogue et vous acceptez pour voir, comme vous avez fait pour le hash, en vous disant : " Une fois. " Est-ce que cela peut s'être passé ainsi ? »

Il y a un silence. « Avez-vous vu votre fils ? interroge Laffond.

— Nous sommes allés à l'hôpital tout à l'heure. Il dormait.

— Bientôt, dit-il, dès demain peut-être, si nous savons l'écouter, il répondra lui-même aux questions que vous vous posez. En attendant, il ne sert à rien de vous torturer, croyez-moi, madame. »

Mais comment faire pour ne pas se torturer? Je raccroche. Il est quatre heures. Dans une heure, Laure rentrera de classe et prendra son goûter. Je la laisserai me verser une tasse de chocolat. Elle trouve cela meilleur quand je le partage avec elle et que je dis : « C'est bon! Ça fait du bien. » Elle trempe dans son bol de longues mouillettes beurrées et après elle a quand même faim pour dîner.

Nous parlerons d'abord de son travail et de sa meilleure amie qui a toutes les audaces et à qui elle voudrait ressembler. Un peu plus tard, je lui demanderai si, par hasard, elle saurait où se trouve la bombe de produit doré avec laquelle elle nous avait, pour Noël, fait de si jolis dessins sur la glace du salon.

« La bombe de doré? répond Laure sans hésiter. Mais c'est Jean-Daniel qui l'a prise. Il avait promis de la rapporter. Tu en as besoin?

— Non, ma douce. Je n'en ai pas besoin. Ce n'est pas ça. Mais si tu pouvais te rappeler à peu près quand Jean-Daniel te l'avait demandée? »

Elle réfléchit, sa tartine dans sa main. Je préférerais qu'elle ne se souvienne pas.

« Je crois que c'était après Noël, en janvier. Justement, il avait trouvé ça joli, lui aussi, sur la glace. Il voulait faire pareil chez lui. C'est important? »

Je pose ma main sur sa main tachée d'encre, sur laquelle est dessiné un cœur. « Tu sais, en ce moment, tout ce qui touche à ton frère va nous sembler important. »

Par exemple cette évidence : il y a quatre mois de janvier à mai.

9

Mai, c'est le début des fruits d'été. Vous voyez fleurir aux étalages les premières pyramides de fraises, précédant leurs cousines les cerises : jaunes cœur de pigeon, translucides anglaises, bigarreaux. Cela embaume. On a envie de toucher des lèvres, des doigts et du nez. Quelle erreur de vous offrir au cœur de l'hiver ces fruits venus d'on ne sait où et qui perdent l'essentiel de leur saveur pour n'être pas en accord avec la saison. Pour apprécier un fruit d'été, il faut du soleil, des bras hâlés, des fleurs aux arbres, des souvenirs de vacances. Il faut quelque part en soi ressembler à ce fruit, fondre avec.

J'ai acheté pour dîner un kilo de fraises et un melon en jaquette verte et blanche. Le commerçant m'a bien accueillie. Je suis fidèle à mes fournisseurs : ils font partie du quartier, du village, que généralement ils prèfèrent aux autres. Il m'a demandé comment cela allait et j'ai répondu : « bien ». Comme Paris était émouvant, caressé de soleil déclinant, sous un ciel qui, très longtemps encore, refuserait de se livrer à la nuit !

Il y avait une lettre de ma mère au courrier du

soir. Elle habite le Midi de la France. Un jour, elle me reprocherait de ne pas lui avoir tout dit, tout de suite.

Laure m'a aidée à préparer le dîner. Nous n'avons pas parlé de son frère, mais c'était lui qui nous réunissait à cette heure où elle aurait dû être attelée à ses devoirs. Nous avons décidé de faire un soufflé, pour le plaisir d'accomplir ensemble des gestes simples : faire fondre le beurre et râper le gruyère, mêler à la sauce les jaunes des œufs, en transformer les blancs en neige. Sans rien nous dire, durant un moment, nous avons été très proches l'une de l'autre.

Martin, le cousin médecin de Gilles, a appelé pour demander s'il pouvait passer après le dîner. Il avait vu Jean-Daniel cet après-midi. Martin et Gilles ont le même âge; ils partagent d'ineffaçables souvenirs d'enfance. Peut-être est-ce dans l'espoir de les retrouver que tous deux projettent, à la retraite, d'aller planter ensemble, quelque part, des oliviers.

Lorsqu'il est arrivé, l'entrée était encore pleine de l'odeur du soufflé et il l'a reconnue. Chez lui, il avait toujours priorité, paraît-il, pour gratter le tour du plat. Il a déposé dans un coin un sac blanc avec une croix rouge : les affaires de Jean-Daniel. Il faudrait lui en rapporter des propres lorsqu'il sortirait.

Laure lisait dans un coin du canapé. Gilles m'a consultée du regard. J'ai dit : « Qu'elle reste si elle veut ! » Martin avait trouvé Jean-Daniel beaucoup mieux. Ils avaient même parlé un peu. Bien sûr, il n'avait posé aucune question; on devait laisser venir les choses, ne rien brusquer. Le médecin qui avait soigné Jean-Daniel hier lui avait confirmé le diagnostic.

J'ai demandé : « C'est-à-dire ? »

Martin a jeté un coup d'œil vers Laure.

« Cette piqûre n'était pas la première.

— Comment l'a-t-il vu ?

— Des traces sur ses bras.

— Depuis combien de temps ? a murmuré Gilles.

— D'après ce que dit Jean-Daniel, un an. »

Laure s'est levée. Elle a rassemblé ses affaires et elle est sortie sans bruit et sans me regarder. J'ai compris qu'elle partait à cause de moi et aussi pour moi; on peut ne pas supporter de voir sa mère souffrir; on peut aussi sentir qu'en restant là, on risque d'ajouter à cette souffrance en rappelant des bonheurs passés.

Je me suis tournée vers Gilles : « C'est cela que tu voulais me dire ce matin au restaurant, n'est-ce pas ?

— Je voulais te le dire depuis hier. Le médecin m'en avait parlé. J'ignorais si tu savais. J'attendais une confirmation. »

Il est allé chercher une bouteille, des verres et des glaçons et nous a servi trois scotchs. Dans l'entrée, le téléphone a sonné; c'était pour moi : un de mes chantiers. On s'étonnait que je n'aie pas donné signe de vie aujourd'hui. J'ai pris rendez-vous pour le lendemain.

Lorsque je suis revenue au salon, Martin a interrompu sa phrase. J'ai dit : « Je veux que l'on ne me cache rien. J'exige d'être au courant de tout. » Je m'efforçais de ne pas crier, mais je ne pouvais pas supporter leurs cachotteries.

« Nous n'avions pas l'intention de te cacher, quoi que ce soit, Nadine, a répondu Martin, mais ce que j'ai à te dire, et à Gilles aussi, risque de vous faire souffrir... et vous auriez tort... »

Je l'ai interrompu : « Dis ! »

— Pour l'instant, Jean-Daniel préférerait ne pas vous voir. Ni l'un, ni l'autre. »

Je me suis assise. Alors, tout à l'heure, il faisait semblant de dormir ? A nouveau, je me sentais tomber. Quand vous avez peur pour quelqu'un, quand vous souffrez pour lui, cela vous fait moins mal lorsqu'il est là. Vous le touchez. Vous le regardez. Vous vous dites : « Pour l'instant, ça va. Ça tient encore ! »

« A ton avis, pourquoi préfère-t-il ça ? » a demandé Gilles.

Martin a allumé un cigare.

« Je ne sais pas exactement. Il vous connaît trop pour craindre des reproches. Je pense tout simplement qu'il souffre du mal qu'il vous fait et qu'il a peur de se trouver en face de vos visages. Il m'a dit de vous dire qu'il vous aimait. »

Je suis allée à la fenêtre. La nuit était tombée maintenant; c'était un ciel sans étoiles mais que les lumières de Paris tachaient de rose. De son lit d'hôpital, Jean-Daniel pouvait-il le voir ? « Si nous savons l'écouter », avait dit Laffond. Mais voilà qu'il refusait de nous parler.

Martin est venu près de moi et nous avons regardé un moment couler le flot des voitures. J'essayais de compter les passagers; ils étaient souvent seuls. J'ai tendu la main vers le cigare de mon ami; il a compris; j'en ai tiré deux ou trois bouffées. Je ne pouvais rien dire d'autre. « C'est vraiment une saloperie, a-t-il murmuré. La pire des saloperies qui puisse vous arriver. » Il a glissé son bras sous le mien et nous sommes revenus vers le canapé.

« Combien de temps va-t-il rester à l'hôpital ? » a demandé Gilles.

Son visage était défait. J'oubliais trop facilement que, lui aussi, aimait son fils. Autrefois, le dimanche, il l'emmenait sur ses épaules pour de longues promenades. C'était Jean-Daniel qui donnait des ordres : au pas, au trot et au galop.

« Quatre ou cinq jours au plus, a répondu Martin.

— Et après ?

— Le mieux serait qu'il parte quelque part; loin de ce qu'il a vécu ces derniers temps. Il existe des endroits; je me renseignerai. »

Il nous a regardés avec toute son amitié : « Si cela peut vous aider, je me propose d'être votre intermédiaire. »

Gilles a voulu aller répondre quand le téléphone a de nouveau sonné. Je l'ai précédé. L'instinct ?

C'était Anne-Marie : celle que nous nous amusions à appeler la « fiancée » de Jean-Daniel. Elle pleurait.

10

ELLE demande : « Comment va-t-il ? »

Je réponds : « Aujourd'hui, il a respiré tout seul. »

J'entends ses sanglots. Moi, au contraire, je me sens soudain dure, forte; une seule chose compte : « Comment a-t-elle su ? Par qui ? »

Je dis : « Je voudrais te voir ! » Elle ne répond pas; j'ai été trop vite; je lui ai fait peur. J'ajoute tout bas, pour que, du salon, on ne m'entende pas : « Cela me fera tant de bien de parler de lui avec toi. »

Elle propose de venir ici. Je préfère prendre rendez-vous chez elle, au Quartier latin : « Demain ! Onze heures. »

Chez elle, ce sont deux chambres de bonne réunies. Dans l'une, lit, table, chaise, objets alignés le long du mur; dans l'autre, la cuisine et le lavabo.

Anne-Marie porte une robe à smokes, très « petite fille », ses pieds sont nus dans les sandales. Je me souviens du jour où Jean-Daniel nous

l'a présentée, sur la plage de Cannes. Ils revenaient du bain. L'eau coulait de sa grande natte
brune. Elle nous avait plu : son sourire, son
regard discret. Dix-huit ans.

Elle en a vingt; elle a coupé sa natte; ses yeux
sont cernés et son teint pâle; elle essaie vaine-
ment de sourire. Nous nous asseyons sur son lit
et je lui donne pour commencer des nouvelles de
Jean-Daniel : bonnes, ce matin; il a bien dormi; il
s'alimente. Je m'efforce de parler posément,
comme si j'avais surmonté la situation. J'ai un
but précis et la sensation qu'il me porte.

Les épaules d'Anne-Marie tombent; elle a un
profond soupir.

« J'ai eu si peur », dit-elle.

Le plus légèrement possible, j'interroge :
« Comment as-tu appris ? »

La question ne semble pas la gêner; elle répond
sans hésiter : « Par des amis. »

Je remarque : « Pourtant, il était seul quand on
l'a trouvé ! » Les paroles de Laffond me lancinent.
« Dans ce milieu, les choses se savent très vite »...

« Je ne sais pas comment ils l'ont su, dit-elle, et
son regard est sincère. Hier soir, je suis allée chez
eux; ils m'ont appris; je vous ai appelée tout de
suite.

— Que t'ont-ils dit exactement ? »

Je vais trop vite. Son regard s'inquiète et sa
voix est réticente lorsqu'elle répond.

« Que Jean-Daniel était à l'hôpital.

— Ils savaient pourquoi ? »

Elle incline affirmativement la tête, se
détourne. Elle non plus ne veut pas prononcer le
mot. Sur la caisse renversée qui sert de table de

nuit, il y a une photo. Elle représente un homme vêtu de blanc, coiffé de la haute toque de cuisinier; sa main s'appuie sur l'épaule d'une petite fille : Anne-Marie et son père?

Je pose ma main sur la sienne. A chacun de ses doigts, des bagues sans valeur : effort de coquetterie qui m'attendrit. Avec ça, ses ongles sont rongés! Mains de petite fille qui joue à la dame.

« Tu l'avais vu ces derniers temps?

— On ne se voyait presque plus », dit-elle.

Les larmes ont jailli de ses yeux. J'entends Jean-Daniel, l'autre soir, répondre à ma question : « Et Anne-Marie, ça va bien? — En forme! »

« Il y avait une raison?

— Il n'en avait plus envie. »

Elle a pris un oreiller et, de ses deux bras croisés, le serre sur son ventre; comme une enfant ferait; comme peut-être elle serrait ses poupées. Ensuite, j'ai demandé à Jean-Daniel : « Tu vas nous l'amener un de ces jours? » Il a répondu : « Bientôt. »

« Il y a trois jours, dis-je, Jean-Daniel est venu à la maison et nous avons parlé de toi; de ses examens aussi.

— Ses examens? »

Elle n'a pu réprimer un cri de surprise, et déjà le regrette. Le menton sur l'oreiller, elle fuit mon regard.

« Anne-Marie, qu'est-ce qui se passe? »

Je me penche sur elle : « Ecoute-moi... Depuis deux jours, Gilles et moi, nous essayons de comprendre. Il faut que tu nous aides...

— Jean-Daniel ne suivait plus ses cours, dit-elle

à contrecœur. Il avait arrêté. Je croyais que vous le saviez. »

Nous ne le savions pas! Nous ne savions rien. Il ne voyait presque plus Anne-Marie; il ne suivait plus ses cours de droit. Que faisait-il alors? D'où venait-il quand il sonnait à la maison? Nous lui parlions « examens, cours, professeurs, avenir » : pour lui un langage étranger.

J'ai dans la poitrine comme de grands vides; mal au cœur aussi; l'impression que mon corps renâcle devant le chemin à parcourir. Je vois, sur ma table de nuit, le tube de somnifères qui m'aide depuis deux jours. Ce soir!

« Depuis combien de temps avait-il arrêté?

— Il n'est pas retourné à la fac en octobre.

— Et il ne t'a pas dit pourquoi?

— Cela ne l'avait jamais vraiment intéressé, le droit. »

Mais c'était lui qui l'avait choisi. Il n'avait pas de vocation, aucune envie précise; les maths lui étaient étrangères.

« Est-ce que tu savais, Anne-Marie? Est-ce que tu te doutais qu'il se droguait? »

Elle incline à nouveau la tête, le regard ailleurs et les lèvres tremblantes.

« Et tu ne nous as rien dit?

— Ce n'était pas facile », murmure-t-elle.

Sa fenêtre est large ouverte; du lit, on voit les tours de Notre-Dame, dressées dans le ciel, résumant Paris. Comme un voile très fin est tendu sur la ville : rose doré. C'est superbe. Il paraît que ce sont les couleurs de la pollution.

« Ces amis qui t'ont avertie, Anne-Marie, Jean-Daniel les connaissait bien?

— Assez.

— Ce sont des drogués ? »

Elle a un sursaut et me regarde avec reproche. J'ai parlé agressivement; mais ce mot est planté en moi; il prolifère; il m'étouffe.

« Pardonne-moi. Je cherche comme je peux, où je peux, c'est tout. »

Je sens les larmes couler sur mes joues. J'aimerais, moi aussi, serrer un oreiller contre mon ventre, y enfouir mon visage.

« Tu vois, dis-je, quand il vous arrive quelque chose comme ça, le plus dur, c'est de rester dans l'obscurité; à cause des questions que l'on ne cesse de se poser. On préfère tout savoir, même s'il faut souffrir davantage. Comment tes amis ont-ils su ce qui était arrivé à Jean-Daniel. Par qui ?

— Certainement par Renaud, dit-elle.

— Renaud ?

— Un camarade de Jean-Daniel. Ils se voyaient souvent.

— Est-ce que je pourrais le rencontrer ? »

Elle se referme totalement. « Je ne sais pas où il habite. Moi, je ne le connais presque pas. »

Elle regrette d'avoir dit son nom. Mes larmes le lui ont arraché. Mes questions lui font peur. Elle refuse de dénoncer. Pour elle, je suis du côté de ceux qui jugent, condamnent : un flic. Comme Laffond pour moi. Je réprime ma colère.

« A quoi cela vous avancerait-il de le rencontrer ?

— Je veux savoir qui a entraîné Jean-Daniel là-dedans. Je veux savoir qui lui a procuré, avant-hier, l'héroïne avec laquelle il a failli mourir. Je veux que les coupables soient punis et tu devrais être comme moi, Anne-Marie. Si tu l'aimes encore. Tu devrais m'aider, de toutes tes forces. »

Elle est pliée sur son oreiller; ses larmes coulent à nouveau.

« Je ne peux rien vous dire de plus. Je ne voyais presque plus Jean-Daniel et je ne sais pas où habite Renaud. Je ne l'ai vu que deux fois, au *Pierrot lunaire.* »

Elle ajoute plus bas : « Et je ne l'aimais pas. »

J'ai deux noms : Renaud et *Le Pierrot lunaire :* un bar ? Une boîte de nuit ? Un café ? Anne-Marie se mouche, essuie ses yeux.

« Accepterais-tu de me donner l'adresse des amis qui t'ont avertie ? »

J'ai sorti mon carnet de mon sac et le lui tends. Elle écarte ses cheveux, y inscrit quelque chose.

« Si tu veux, je ne leur dirai pas que c'est toi qui me l'as donnée.

— Vous pouvez bien le leur dire ! Ça m'est égal. »

A nouveau, je murmure : « Pardonne-moi. » Je suis enfermée dans ma souffrance, incapable de voir celle des autres. Gilles souffre. Anne-Marie souffre. Laure aussi.

Je me lève. L'air est doux. Des brises passent. Ce matin, on parlait de la fête des Mères dans le journal et Gilles a vite tourné la page. En se penchant, on peut voir la rue, les passants sur les trottoirs. Pourrais-je un jour regarder des jeunes sans me demander : « Pourquoi ? Pourquoi pas eux ? » Sans être blessée par leurs rires ?

Qu'a dit l'inspecteur Laffond ?

« Un ! Plus il y a de drogue sur le marché, plus il y a de drogués ! Deux ! Le chemin d'un plaisir, d'une chaleur de vivre qu'ils ne trouvent plus dans le monde actuel. »

Je me retourne vers Anne-Marie. Ses genoux sous le menton, elle m'observe. J'ai soudain l'impression qu'elle m'appelle, mais très bas. Nous nous aimions bien. Ce premier été-là, à Cannes, Jean-Daniel l'amenait souvent à la maison. Il en était fier, je crois. Nous avions des conversations d'été, qui sont souvent celles de souvenirs.

« Et toi, Anne-Marie, qu'est-ce que tu fais ? »

Elle montre une machine à écrire.

« Du secrétariat. De l'anglais aussi; j'aime bien les langues.

— Et tes parents ?

— Je les vois pendant les vacances. Dinan, ce n'est pas la porte à côté. »

Je reviens m'asseoir sur le lit. Je prends l'une de ses mains. Elle me la laisse.

« Je voudrais te demander quelque chose. Cela va te sembler bête, mais c'est important pour moi. Essaie d'oublier ce qui vient d'arriver et, dis-moi, en gros, dans ta vie, es-tu heureuse ? »

Je revois l'adolescente à natte, son sourire confiant. Je n'ai pas voulu parler de bonheur total; j'ai voulu dire : « Es-tu attachée à la vie ? Lorsque tu t'éveilles, le matin, dans ce lit, sens-tu monter en toi ce qui va te permettre d'avancer ? » J'ai voulu dire : « Eprouves-tu l'élan ? »

Son regard passe sur ses murs, va à la fenêtre, s'évade. Elle murmure sans me regarder : « Comment voulez-vous ? »

11

Moi, j'aimais ma vie! La plier aux saisons; voir un arbre changer de couleur selon celle du ciel, reconnaître certains jours le bruit de la mer dans le souffle du vent. J'aimais tout simplement préparer le repas des miens, glisser mon bras sous celui d'une amie pour aller prendre un « p'tit café », tomber le soir au creux du canapé, retrouver le sourire des enfants, la tendresse de Gilles et, le matin, dans un demi-sommeil, me sentir fleur entre ses mains, sous ses lèvres, et m'ouvrir à la vie en même temps qu'au plaisir, réapprendre à parler pour dire « oui », renaître à deux. Moi, j'avais chaud dans ma vie!

La vendeuse a posé devant Ghislaine et moi le grand album d'échantillons. Il s'agit de choisir le papier mural du salon de sa maison de campagne. Elle a décidé de l'assortir aux rideaux qu'elle tient de sa grand-mère. Nous en avons apporté un spécimen : lourde moire bleu intense. Cela complique les choses mais les corse agréablement. Nous allons organiser la pièce en fonction de ces rideaux, inventer des couplets d'aujourd'hui autour d'un refrain du passé.

Elle désigne un papier beige rosé. « Que penses-tu de celui-là ?

— Trop pâle. Tes rideaux vont le tuer. L'un et l'autre doivent se mettre en valeur, ne pas s'annuler ni s'écraser. »

Nous tournons les pages. Moi, j'aimais tout de la vie ! C'était par ses petits côtés qu'il me semblait la toucher le mieux : le grain d'un papier au bout de mes doigts, l'odeur lisse d'une soie, rustique du coton, acidulée des synthétiques, l'arc-en-ciel des couleurs.

Dans le choix du papier, nous devons tenir compte du sol : celui du salon de Ghislaine sera dallé. Avec des enfants, un jardin, une rivière, c'est la sagesse. Mon idée d'installer dans l'entrée un râtelier pour les cannes à pêche l'enchante. C'est joli, une canne à pêche, et merveilleux les « mouches »; à ne cacher en aucun cas dans un placard !

Une fois tapissés les murs, il restera à décider pour les tapis et les meubles : coin feu, coin repas, coin lecture, coin jeu : construction du territoire.

« Celui-là ! dis-je. Nous y sommes. »

Orange vif, tirant légèrement sur le rouge, éclatant comme une flambée; l'œil se reposera au passé, brûlera avec le présent.

« Tu crois ? Ça ne te semble pas trop hardi ?

— Ça l'est ! Mais tu ne veux pas avoir la maison de tout le monde ? Et tu verras ! Tout ce que tu mettras sur les murs ressortira magnifiquement. »

Elle semble convaincue. C'est aussi cela qu'on attend de moi : balayer les doutes. Décider.

Puis il faut choisir pour la chambre de Rémi, son fils : cinq ans.

« J'ai assez envie d'un ciel, déclare Ghislaine. Sur fond de bleu pastel, des nuages. J'ai vu ça au cinéma. C'était ravissant et on m'a dit que ça favorisait le sommeil.

— Et au plafond des étoiles ? Des planètes ? »

La douleur m'a sauté dessus, a cassé ma voix. Ghislaine me regarde, étonnée. Je plonge le nez dans mon sac, en sors n'importe quoi : lunettes, mouchoir, carnet. Si on ne peut même plus me parler de ciel !

« Tu es contre ?

— Absolument pas ! A condition que le vrai, le vrai ciel, tu ne le perdes pas de vue; c'est comme les fleurs factices, tu comprends, ça ne remplace pas; ça n'oxygène pas et un jour... A condition que tu regardes le vrai avec Rémi. »

Elle n'en revient pas ! Pas du tout mon genre de tenir des discours ! Plutôt celui de m'en moquer. Et moi non plus, je ne comprends pas; les mots sont venus comme un sanglot. Mais depuis *La Maison*, je n'ai plus accompagné Jean-Daniel dans ses voyages pour la « belle étoile »; j'ai troqué le jardin où nous nous étendions côte à côte pour soixante mètres carrés de murs luxueux à Cannes et préféré à nos champs de maïs, à notre forêt, un terrain de golf où il faut prendre son tour et des matelas sur une plage-boulevard.

Et j'ai laissé mon fils voyager seul en fixant un plafond.

Gilles était à la maison quand je suis rentrée. Je lui ai dit que j'avais travaillé et il a semblé soulagé. Où en étions-nous ? Il avait eu Laffond au téléphone : l'inspecteur rendrait visite à Jean-Daniel demain.

« Tu vois, m'a dit mon mari, quand Martin nous a fait part de son désir de ne pas nous voir, sur le coup, j'ai accepté. Maintenant, je trouve ça insupportable. C'est un besoin constant, comme une démangeaison. Celui de m'assurer qu'il est bien là ! »

Au dîner, nous nous sommes efforcés de parler avec Laure de choses ordinaires. Elle devait partir en juillet en Irlande, avec sa classe : elle passerait pour commencer quelques jours à Londres. Gilles lui a expliqué la monnaie de là-bas : la livre, le shilling, les pennies. Ça l'a beaucoup amusée de penser que certains banquiers allaient travailler coiffés d'un chapeau melon. Nous dégustions son rire. Nous nous émerveillions qu'elle fût intacte. Au fond de nous, sans raison, nous avions peur pour elle et cela nous rendait maladroits.

Je n'ai pas parlé à Gilles de ma visite à Anne-Marie. Il aurait sûrement voulu m'accompagner chez les amis de Jean-Daniel : à moins qu'il n'ait jugé préférable de donner leur adresse à Laffond.

Cette nuit-là, nous avons refait l'amour pour la première fois. Un reste de jour passait entre les volets. Il y avait des ombres sur les murs et un point brillant du côté de la glace. Nous avons fait les gestes sans nous parler ; le plaisir me fuyait, trompait à chaque fois mon attente. J'ai fini par simuler.

Gilles est resté un moment sur mon ventre, la tête dans mon épaule, lourd comme la mort d'une enfance.

12

Lui est long, très mince, à la limite de la maigreur; barbe fournie, jean, chemisette et espadrilles de tennis. Il me rappelle Gilles autrefois; sans cet air de vouloir foncer. Là où il est, il est bien : il a trouvé. Quoi? Il tient une flûte entre ses doigts : il en jouait quand je suis arrivée : un air nostalgique, entêtant. C'est ainsi qu'il gagne sa vie : en jouant aux abords des cafés, des cinémas, ou dans les couloirs du métro. Il donne aussi quelques leçons. Il s'appelle Tanguy.

Elle s'appelle Catherine. Elle porte un sari, des espadrilles, plusieurs colliers. Elle tisse. C'est son métier. Elle vend ou non. Plutôt non, mais c'est un beau métier. Elle a fait une exposition. A ses pieds, un enfant très jeune joue avec des fils de couleur. Tous deux ont cette expression qu'ont beaucoup de jeunes aujourd'hui : d'ailleurs.

On qualifierait l'atelier où ils vivent par « bohème ». Rien de riche ou de pesant : l'insouciance. Tout ce qui fait cette pièce, lui donne sa respiration : poteries, livres, instruments divers, tentures ou coussins, semblent se trouver là par hasard, rien de calculé, tout serait remplaçable à peu de frais. Est-ce cela qui me dérange? C'est le contraire de ce que recherchent ceux pour lesquels je travaille : confort, épate ou placement; le cocon le plus épais, le plus doré possible, et il est recommandé de blinder sa porte.

J'ai sonné et dit tout de suite mon nom. Ils n'ont pas semblé étonnés : « Entrez! Asseyez-vous! Désirez-vous du thé? » On aurait dit qu'ils m'attendaient.

Ils ont connu Jean-Daniel et Anne-Marie cet été, du côté d'Orange, pendant le festival. Ils campaient dans le même coin. Un soir, une nuit plutôt, où Tanguy jouait de la flûte, ils sont venus s'asseoir tous deux à ses pieds. Voilà !

« Jean-Daniel était si drôle, si gai », dit-elle.

Il plagiait les acteurs, prétendait lire l'avenir dans les étoiles, faisait le clown. Jean-Daniel? J'écoute ces mots, incrédule; elle me parle d'un inconnu. Mon fils a toujours été secret, calme et réservé.

L'enfant réclame que l'on s'occupe de lui. Il se dresse sur ses jambes incertaines, se lance sur la poitrine de sa mère, la brusque. Alors, elle interrompt son ouvrage pour le prendre contre elle : « Qu'est-ce que tu veux, dis-moi? Qu'est-ce que tu cherches? »

Je m'efforce de sourire. Mon malaise ne passe pas. Je me sens bousculée, soudain fragile. Voici ce qui compte pour eux, leur cadre de vie. Un autre univers. Jean-Daniel s'y trouvait-il bien?

« Il venait souvent, raconte la femme. Il aurait bien aimé apprendre à jouer de la flûte.

— Nous l'appelions " petit gris ", reprend l'homme, à cause des escargots. Il paraît qu'enfant il avait surpris un oiseau qui les laissait tomber sur une pierre pour casser leurs coquilles ; ça l'avait beaucoup impressionné. Il disait : " Moi, je me vois plus en petit gris qu'en oiseau de proie. " C'est pourquoi nous l'avions baptisé comme ça : " petit gris ". »

La maison, un chemin, une main qui serre la mienne, une grosse pierre baveuse d'escargots écrasés : « Dis, maman, qu'est-ce qu'on peut faire pour les escargots ? »

« Hier, je suis allée le voir à l'hôpital, dit-elle. Il m'a paru bien. »

Ma gorge me brûle. Ce n'est pas la jalousie, c'est la solitude ; leurs paroles créent le silence autour de moi. Sait-elle que je n'ai pas droit aux visites ?

« Vous étiez au courant, n'est-ce pas ? »

Ils ne répondent pas. J'ajoute : « ... qu'il se droguait.

— Ne parlez pas ainsi, dit-il. Il n'aimerait pas ça ! »

Je ne comprends pas. Il se penche vers moi : « L'alcool, le tabac, ce que vous prenez pour dormir, pour maigrir, tous ces médicaments donnés sur ordonnance ou non, ce sont des drogues. Nous en usons tous plus ou moins et, avec leur aide, nous cherchons tous davantage de bien-être.

— Ce n'est pas la même chose.

— En effet ! L'alcool et le tabac tuent beaucoup plus que ce que vous appelez " la drogue ". »

Je ne dis plus rien. J'ai un grand sentiment d'impuissance.

« On reconduit chez lui un type qui a trop bu, qui est " parti ". On le couche, le borde, et le lendemain on rit avec lui de l'état où il se trouvait. On prononce le mot " drogué " et on s'écarte avec horreur. Pas question d'essayer de comprendre. C'est le refus en bloc, la condamnation sans appel. On fait un scandale d'un gamin qui a touché deux fois au hash et on ferme les yeux devant un autre qui avale quotidiennement la fumée de trente cigarettes.

— Parce qu'on a peur, dis-je, parce que c'est comme une maladie mortelle, foudroyante.

— Quand on a peur, dit-il, on ne reste pas dans le noir en criant : " C'est horrible ! " On braque les projecteurs. On regarde tout, partout, on fait le tri. Après, on peut essayer d'aider. »

Je n'ai pas envie d'allumer les projecteurs. J'ai envie de me lever, de refermer pour toujours cette porte, de retrouver mon univers à moi, propre, net. Mais c'est fichu. Je ne pourrai plus jamais. Comme j'étais heureuse ! Comme je fermais bien les yeux.

« Sur son plafond, Jean-Daniel a écrit un mot : " Planète ". Qu'est-ce que cela veut dire ? »

La femme a cessé de tisser; elle me regarde de ses yeux bruns, très calmes, me semble-t-il. Elle, elle n'a pas peur !

« Cela veut dire un moment de chaleur, de bien-être total », répond l'homme.

Il sourit : « Comme, peut-être, lorsqu'on est dans le ventre maternel.

— Alors, une fuite ?

— Un voyage ailleurs.

— Loin de la vie !

— Qu'appelez-vous " la vie " ? » demande-t-il.

Je vois des visages anonymes, gris, des voitures,

des gros titres de journaux qui parlent de tout sauf d'espoir, une sorte de course vers je ne sais quoi. Mais je sens aussi la douceur de l'air, une musique me traverse, les couleurs d'un tableau ou d'un paysage, la chaleur d'une amitié, le mot « famille », le mot « maison ». Malgré tout, j'étais heureuse. J'oubliais.

« Je sais que ce monde n'est pas parfait, qu'il est même parfois monstrueux. Mais je sais aussi qu'on peut y trouver des joies, des bonheurs; ils sont là. A condition d'accepter de tenir debout. »

Il regarde sa femme, cette pièce qui m'est étrangère, la flûte entre ses mains, son fils.

« Ils sont là, approuve-t-il. Mais certains ne les voient pas, ces bonheurs, ne les verront jamais, faute d'un terrain bien préparé. On ne leur a pas appris à se tenir debout, on leur a plutôt tapé sur la tête; et dans ce monde dont vous parlez, tous ne trouvent pas leur place. »

« Comment voulez-vous? » murmurait Anne-Marie, serrant l'oreiller contre son ventre, et il me semblait qu'elle m'appelait.

L'enfant s'est laissé tomber sur le tapis de couleur; il regarde ses pieds, les agite en tous sens, riant de ces deux objets étrangers auxquels il commande. Sa mère me le désigne : « Si nous pouvions lui dire : Comme c'est bon d'exister! Quelle belle journée nous avons passée à travailler pour toi, pour nous, nous réjouir, nous nourrir, nous vêtir. »

Un rire monte en moi. Pourquoi cette phrase me paraît-elle naïve, ces mots impossibles à prononcer? Combien peuvent les dire à leurs enfants? Pourtant, nous en vivons!

« Jean-Daniel avait sa place dans le monde. Cet amour des choses, nous avons essayé de le lui transmettre; nous l'éprouvions. Et vous l'avez dit vous-même : il était si gai... »

Ils se taisent. Comment les convaincre? J'ai l'impression de me défendre; c'est ridicule. Jamais je n'aurais dû venir ici. Je me lève.

« Savez-vous où je pourrais joindre Renaud? »

Ils ont un même regard étonné. Inquiet?

« C'est lui qui vous a avertis de ce qui était arrivé à mon fils, n'est-ce pas?

— Il nous a téléphoné, dit-il. Mais nous n'avons jamais su où il habitait et il n'est venu qu'une fois chez nous depuis Orange. »

Ainsi, Renaud était là-bas! C'est à Orange que Jean-Daniel l'a rencontré et que tout a commencé. En juillet, le mot n'était pas encore inscrit au plafond. Notre fils remontait de Cannes où il avait passé une semaine avec nous. Le matin, il partait tôt se baigner, avant le petit déjeuner que nous prenions ensemble sur le balcon en voyant la rue s'éveiller, les femmes s'en aller au marché, les hommes lire le journal aux terrasses des cafés.

« Que cherchez-vous à prouver? » demande l'homme.

Je n'aime pas son regard; je refuse leur pitié.

« Rien! Je cherche à comprendre. Et je comprends que si, ce soir-là, mon fils n'était pas venu s'asseoir à vos pieds, attiré par un air de flûte, il n'aurait pas rencontré Renaud. Et s'il n'avait pas rencontré Renaud, il ne serait pas là où il en est.

— Qu'en savez-vous? murmure Tanguy.

— C'est lui qui nous l'a présenté », dit Catherine.

13

QUAND je pense à Jean-Daniel, je vois un petit garçon trottant à mes côtés; je sens la chaleur d'une
main dans la mienne; j'entends beaucoup de
« pourquoi? », de « comment, maman? » Petit
garçon sans problèmes, croyais-je : élève sans histoire, disaient ses professeurs.

Quand je pense à lui, je n'en finis pas de découvrir, dans un lit d'hôpital, un long garçon pâle
dont la respiration a fait éclater pour moi les
frontières du désespoir : l'auteur d'un mot empoi-
sonné inscrit sur un plafond à l'aide d'une
« bombe » de poudre dorée.

Depuis deux jours, vient me visiter l'image d'un
étudiant assis en tailleur sur le sol dans la nuit
d'Orange, écoutant un air de flûte, faisant le
clown pour amuser les autres, surnommé par
eux : « petit gris ».

Un jour, l'enfant a lâché ma main pour partir
de son côté. Moi, je l'imaginais toujours là; j'ignorais que je m'adressais à du vent, que je souriais
à rien : une ombre, un souvenir.

Aujourd'hui, arrêtée, je regarde autour de moi
et tout me paraît chargé de tragique. Jamais l'ap-

proche du printemps, la vigoureuse fragilité des premières fleurs, la transparente musique du ciel ne m'ont tant bouleversée; leur beauté me déchire, tout n'est qu'instants vibrants sur le point de s'évanouir : au cœur de la beauté, comme lui donnant son souffle, je découvre la mort; j'apprends que sans elle la beauté n'existerait pas et tout m'en paraît plus intense. Le malheur m'a enseigné que je vivais : c'est un cadeau de Jean-Daniel.

« Les gens, demande Laure, est-ce qu'ils vont forcément savoir ? »

Juchée sur son siège de métal vert, devant sa table de travail — feuille de verre sur deux tréteaux —, elle balance ses pieds nus. Elle a posé sa question sans me regarder, avec un peu de honte.

« Je pense qu'ils sauront. Tu sais, il suffit parfois d'une seule personne... Les gens aiment bien bavarder.

— Cette personne, ça pourrait être grand-mère, par exemple ? Parce qu'on sera bien obligé de lui dire, à grand-mère !

— Evidemment ! Elle doit venir bientôt à Paris. Nous lui apprendrons de vive voix.

— Tout ?

— Tout.

— Ça va être moche pour elle, remarque ma fille.

— C'est surtout moche pour ton frère. »

Elle acquiesce, fait rouler un crayon sous sa paume, le regard sur les murs de sa chambre. Nous en avons choisi ensemble le joli papier miel et avons décidé qu'elle n'y afficherait rien pour ne pas l'abîmer.

« J'ai dit à Aude qu'il était malade.

— Pourquoi pas? En un sens, c'est un peu ça. Et je suis comme toi, ma chérie : aucune envie de... bavarder de ce qui est arrivé. »

Elle semble soulagée. De ce qui est arrivé, nous avons à peine reparlé depuis le premier soir; elle connaissait beaucoup de choses sur la drogue : on lui avait déjà proposé du hash.

« Tu as vu mes nouvelles pochettes? »

Elle me montre sa collection de pochettes d'allumettes; il y en a de tous pays. Ce sont les couleurs qui distinguent des autres les deux plus récentes : couleurs brûlantes, presque blessantes : psychédéliques? J'admire! Je m'interdis de poser la question qui me brûle : je ne vais quand même pas demander à ma fille si elle aime la vie! J'entends la voix de Jean-Daniel : « Es-tu contente, maman? » Cela voulait dire : « heureuse... de ce que tu fais, de ce que tu es; as-tu une place, toi, dans ce monde? »

« Tu te souviens de *La Maison*?

— Bien sûr! J'avais neuf ans quand on en est partis!

— Et de quoi te souviens-tu plus particulièrement?

— Le feu, répond-elle sans hésiter, les parties de cartes quand il pleuvait; quand papa avait jeté son jeu dans la cheminée. »

Elle en rit encore (Gilles n'est pas particulièrement bon joueur).

« Et puis?

— Le matin quand c'était blanc sur l'herbe et que ça craquait sous les pieds. Et aussi la poule du monsieur d'à côté qui s'appelait Voisin et qu'on avait retrouvée dans la cheminée.

— Elle ne voulait plus nous quitter. Vous l'aviez appelée " Voisine ", bien entendu. »

Ses yeux brillent : « Voisine ! Elle connaissait son nom !

— Dis-moi... est-ce que parfois Jean-Daniel te parlait de tout ça ?

— De *La Maison* ? Pas tellement. Quelquefois.

— Et quand nous avons changé pour Cannes, qu'est-ce qu'il a dit ?

— ... " On va voir la mer ! " Il avait l'air content. Il m'a dit : " Je t'apprendrai à nager, à faire la planche. On prétend qu'il faut se tenir raide mais c'est le contraire : il faut se tenir mou, faire le nénuphar sous le vent. "

— Et tu n'as pas eu l'impression qu'il regrettait ? »

Elle réfléchit : « Je ne sais pas. »

Je n'ai pas envie de bouger. Rester assise sur ce coin de lit et, moi aussi, à ma façon, assembler des fils de couleur, tenter de reconstituer la tapisserie, de trouver le moment où la première maille a lâché.

« Il y avait aussi quand on dénoyautait les abricots pour la confiture, se rappelle Laure. Tu mettais une amande dans chaque pot. Tu disais : " L'amande, c'est le feu de la confiture ", plein de choses comme ça, et Jean-Daniel me faisait des clins d'œil et tout. »

Et tout ! Un voisin absent pour l'été avait mis à notre disposition les fruits de son verger. La grosse bassine de cuivre n'avait pas chômé. Il est rare qu'on trouve aujourd'hui des amandes dans les confitures d'abricot.

« J'avais dessiné un soleil sur mon mur, dit Laure, avec des lunettes noires et une pipe comme papa. Quand on est parti, c'était ça surtout que je regrettais ! Jean-Daniel a dit : " Pourquoi tu ne l'emmènes pas, ton mur ? " »

Je me détourne : « Tu sais, dis-je, si tu as vraiment envie d'afficher des choses dans ta chambre, après tout, vas-y ! Un papier, ça se change !

— Merci ! » dit-elle.

Elle rassemble ses cahiers, les range dans un tiroir.

« C'est demain qu'il sort ?

— Après-demain, ma douce.

— Et où il va aller ? Il va revenir ici ?

— Peut-être plus tard. Pour l'instant, il va passer quelque temps à la campagne.

— Chez des amis ?

— Pas exactement. Dans une sorte de vieux château repris par des prêtres. Ils cultivent le terrain tout autour. Pour vivre, ils vendent leur vin, et pour les aider, ils embauchent des jeunes.

— C'est Jean-Daniel qui a choisi ?

— C'est lui qui en a parlé à Martin. Il lui a demandé de l'y accompagner.

— Si c'est des prêtres, remarque gravement Laure, on doit être obligé d'aller à la messe !

— Je ne le pense pas, tu vois.

— Grand-mère y va, insiste ma fille. Toi, quand tu étais petite, tu y allais aussi. Pourquoi pas nous ?

— Un dimanche, on manque, dis-je. Puis, c'est un autre; puis encore un autre; puis on n'y va plus; puis on n'y pense plus. Ce n'est pas amusant, la messe! C'est long et on préfère rester au lit. Voilà. C'est tout.

— C'est dommage, dit Laure. Dieu, il paraît que c'est bien! »

14

J'ai acheté une paire d'espadrilles de corde, taille quarante-trois, bleu marine. « Si ça ne va pas au jeune homme, a dit la vendeuse, il pourra toujours venir l'échanger. »

Je les ai placées au fond du grand sac ouvert sur mon lit. J'ai mis à côté les chaussures de marche que Jean-Daniel avait oubliées à Cannes et que nous lui avions remontées dans nos bagages; j'en ai d'abord changé les lacets; je les ai enveloppées dans un sac en plastique.

Par-dessus, j'ai empilé le petit linge : slips, chaussettes, et T-shirt, puis les pulls : laine et coton; les pantalons de toile. Le sac était déjà presque plein. J'aurais voulu qu'il soit sans fond. Aux moments où je me serais sentie trop mal, j'y aurais rajouté des choses choisies parmi les mieux, les plus « touchantes ».

Aucun des vêtements n'avait été porté et ils avaient la raideur, l'odeur du neuf. J'avais dissuadé Gilles d'aller chercher des affaires dans le studio : « Comment te dire... tout ce qui est là-bas, il faut que ce soit le passé. » J'avais, sans l'ouvrir, jeté le sac de plastique blanc rapporté par Martin de l'hôpital.

Dans les coins, j'ai glissé les mouchoirs, un foulard, mon réveil. Avant de mettre chaque objet dans le sac, je le regardais bien; je le touchais bien. J'ai fait glisser la soie du foulard sur mes lèvres et plié les pulls contre ma poitrine : je laissais des messages; ils disaient entre autres. « Tu ne m'auras pas deux fois! Mets-toi bien cela dans la tête. »

Puis, un matin qui est venu très vite, à onze heures, la voiture de Martin s'est arrêtée devant l'une des portes de l'hôpital. J'étais là depuis un moment. Par la vitre grande ouverte, je sentais l'odeur sucrée des fleurs des marronniers. Le ciel était tendu de nuées, évoquant un champ de neige; depuis deux jours il faisait plus frais : un temps à giboulées.

Martin a disparu dans le bâtiment; il y est resté longtemps mais cela n'avait pas d'importance : je me souvenais. J'avais eu si peur, dans ces allées, le premier jour; et maintenant, comme cela me paraissait loin! Une autre existence.

J'avais pensé que lorsqu'ils sortiraient, Martin tiendrait Jean-Daniel par le bras; mon fils aurait la tête baissée et le pas hésitant. C'est lui qui a poussé la porte. Il portait le pantalon, la chemisette qu'au dernier moment j'avais rajoutés sur le dessus du sac, et un blouson qu'il empruntait volontiers à Gilles, ce qui ne laissait pas d'énerver celui-ci. C'était Gilles qui l'avait donné à Martin pour son fils et, dans la poche intérieure, j'avais glissé ma lettre.

Ce long jeune homme châtain a poussé la porte

et fait quelques pas; puis il s'est arrêté, les yeux fermés, et il a respiré profondément, comme si c'était la première fois. Enfin, de façon hésitante, il a tourné la tête à gauche, à droite, et j'ai senti la brise rafraîchir aussi mon visage; et lorsqu'il a regardé le ciel, la neige s'est transformée en pluie.

Martin l'avait dépassé. Le sac était déjà dans le coffre de la voiture, les portières ouvertes. Il a crié quelque chose en riant à Jean-Daniel qui l'a rejoint. J'étais garée assez loin mais j'avais quand même peur qu'il ne me reconnaisse et je me faisais toute petite. Il n'a pas regardé de mon côté. Il est monté près de notre ami et la voiture a démarré tout de suite.

J'ai encore aperçu son profil comme elle tournait puis je n'ai plus vu que sa nuque, puis les feux arrière allumés au moment où Martin freinait avant le porche d'entrée, un peu de fumée sur le gravier, la poussière sur les souliers des passants.

Je suis sortie de la voiture : je ne savais plus ce que je faisais là, je veux dire « dans la vie »; je me sentais les mains vides, sans passé, sans avenir : une copie blanche.

Une camionnette s'est arrêtée devant la porte du bâtiment. Des employés en ont tiré de longues boîtes métalliques; c'était l'heure du déjeuner : on allait poser les plateaux sur les draps et les malades feraient durer le plus longtemps possible pour être un peu à l'unisson des autres mais sans y parvenir : ce serait déjà fini! Un couple m'a frôlée. « As-tu pensé à lui apporter sa fameuse confiture de figues? » interrogeait la femme; et soudain, venu de ce mot, ce désir poignant : être au soleil, en été, loin.

Gilles m'a expliqué qu'ils ne sont pas partis directement pour le château de Beauvallon, près d'Avignon. Martin a d'abord conduit Jean-Daniel au Palais de Justice où l'attendait un procureur de la République dans le bureau duquel il l'a laissé.

Derrière ce nom, j'imagine un homme en costume strict, portant cravate et gilet; il est très sûr de lui; son regard est indifférent. Je me trompe sûrement : lorsqu'on souffre, tout, autour, semble de marbre : il suffirait d'ouvrir les yeux; mais, voilà : la souffrance les ferme.

Le rôle du procureur est, paraît-il, à la fois d'écouter et de donner un avertissement. Il a certainement demandé à Jean-Daniel si cela faisait longtemps qu'il « s'adonnait » à la drogue, s'il désirait lui en parler ? S'il était réellement décidé à ne plus recommencer. Il lui a expliqué qu'il ne serait pas poursuivi, sauf en cas de récidive, et lui a conseillé de rompre avec « le milieu »; je suppose que pour finir, il lui a dit que, pour ceux qui la regardaient en face, la vie pouvait être belle. Tous ces mots !

Jean-Daniel, je le vois ! Il se tient très droit sur sa chaise et regarde poliment celui qui lui parle. Il répond : « Oui ! » « Oui, monsieur, je ne recommencerai pas. » « Oui, monsieur, vous avez raison. » Il a dit « oui » aussi lorsque nous lui avons proposé d'étudier le droit; et « oui » à l'amour d'Anne-Marie; et « oui » à l'appartement de Cannes.

Ensuite, il devait être trois heures, Martin a

conduit Jean-Daniel à la direction sanitaire où avait été transmis son dossier. Il avait tout admirablement programmé; nous ne tenions pas à ce que notre fils s'attarde à Paris.

Le médecin qui l'a examiné avait, lui aussi, l'habitude; c'était sa spécialité, les drogués. Héroïne? Cocaïne? LSD? Combien? Quand? Comment? Et tant de comprimés à prendre... et une visite de contrôle lorsque vous reviendrez...

Je pense avec soulagement au moment où ils ont quitté Paris. Sans doute Martin avait-il mis de la musique; c'est le genre! Le genre à avoir une stéréo perfectionnée dans sa voiture, des appuie-tête, un paquet de bonbons, un de cigarettes, le plus grand confort possible : le genre, comme moi, à tenter de transformer en fête les petits instants de la vie.

Jean-Daniel regarde s'éloigner ce qui, pour lui, était Paris : au cœur de toute cette pierre traversée de flèches, quelques mètres carrés qu'il appelait « chez moi », une poignée de personnes le connaissant par son prénom, une amie, une sœur, deux parents et parfois peut-être, venue de la teinte d'un ciel, d'une forme, une harmonie, l'étreinte de la beauté.

Devant lui, passés les villes nouvelles, les grands ensembles et les hypermarchés, il y a la forêt d'arbres et de rochers qu'il aimait à escalader; puis ce sera la campagne.

Ils ont dû arriver à Lyon au moment où la nuit tombait. C'est, avec l'aube — le jour en bouton —, le meilleur moment pour entrer dans les villes. La fleur du jour se fanait entre les bras des fleuves où les maisons renversaient leurs lumières mêlées à l'écho de cloches lointaines. Martin nous a appelés de l'hôtel où ils ont fait escale pour nous dire brièvement que tout allait bien.

C'est durant le dîner qu'il a dû transmettre notre message à Jean-Daniel. Nous lui avions demandé de lui faire comprendre que nous étions à ses côtés, mais, cette fois, lucides et résolus à tout faire pour l'aider à ne pas retomber puisque maintenant toute la question est là.

Je connais cet hôtel pour y être plusieurs fois descendue avec Gilles. La salle à manger est du genre où chaque voyageur rêve de faire escale : entourée de panneaux de bois ciré, éclairée par le feu de vieux cuivres. Sur chaque table est allumée une lampe à abat-jour rouge. Il y règne je ne sais quoi de paisible et, pour s'y accorder, on y parle à mi-voix. C'était au cœur de ce bien-être que commençaient les vacances pour nous. Nous étions toujours les derniers à aller nous coucher. Au fur et à mesure des départs, la patronne venait éteindre les lumières et nous faisions des paris. Lorsqu'il ne restait plus que notre lampe, il était temps ! A quel moment a été éteinte la lumière de Martin et de Jean-Daniel ?

Je suis étendue contre mon mari. Pour la plupart, cette journée est achevée. L'avenue est calme; la musique s'est tue au-dessus de ma tête; une vieille dame y habite seule, qui regarde chaque soir jusqu'en fin de programme l'écran de sa télévision. J'écoute s'installer le silence. Lorsque j'imagine, la nuit, tous ces gisants partout, ces sombres foules aux yeux fermés qui circulent dans les paysages de l'inconscient, je suis saisie de vertige et j'ai envie de crier : « Debout ! »

Les yeux grands ouverts, je vais vers le jeune homme dans cet hôtel à Lyon. Je fixe sur lui ma pensée; je lui dis : « D'accord! C'est arrivé! Ça nous est tombé dessus et j'accepte. Il faut lutter? On luttera. Je suis prête. Mais aide-moi, Jean-Daniel. Aide-moi! »

« Là..., dit Gilles tendrement. Là... » Il me serre contre lui, caresse mon front avant d'y poser ses lèvres. « Ce n'est rien, ma chérie... tu parlais toute seule... tu as crié... tu rêvais. »

15

JE me suis crié : « Vas-y! » J'ai séché une bonne fois mes larmes, j'ai arraché de la mienne la main de l'enfant, déchiré l'image de l'adolescent docile, j'ai fixé le mot « Planète » et j'y suis allée.

La peur, je ne pouvais l'empêcher! Ni le cœur battant, ni, sous mon corsage, entre mes seins, cette moiteur d'angoisse; mais je pouvais aller plus vite, dépasser cette peur, me dépasser. J'ai grimpé sans m'arrêter les trois étages, enfoncé la clef dans la serrure, ouvert grande la porte.

Tout était en ordre. Plus de papiers épars sur le sol net, de troubles odeurs, de matelas éventré : plus de matelas du tout. Trois chaises sagement disposées autour de la table, une cuisine rangée, vaisselle faite, fenêtre entrouverte pour donner de l'air frais. Seules preuves de ce qui était arrivé, la tenture au mur du studio : on n'avait pas été jusqu'à la recoller.

C'était Gilles qui avait rangé. Je l'ai su en trouvant, dans un cendrier, le bouchon de tabac qu'il fait tomber de sa pipe après l'avoir fumée : agglomérat de brins et de cendre. Etait-ce Laffond qui l'avait averti de l'état du studio ou, comme moi, était-il venu là un jour à la recherche de son fils ?

Il avait dû descendre plusieurs poubelles mais il restait dans la cuisine un grand sac en plastique plein de vieux journaux et de papiers. C'est à lui que je me suis attaquée. Il y avait eu la fouille des toxicos, celle des hommes de Laffond, Gilles; je n'espérais pas trouver grand-chose mais j'avais, moi, deux éléments que peut-être ni Laffond ni Gilles n'avaient : « Renaud. *Le Pierrot lunaire.* »

Cela m'a pris du temps. Je regardais tout en détail : je cherchais une adresse, donc un carnet, une enveloppe, un ticket quelconque. J'ai trouvé, dans un porte-cartes déchiré, deux petites notes de bistrot : le nom y était inscrit à l'encre bleue presque effacée : *Pierrot lunaire,* l'adresse, le téléphone.

J'ai pensé ensuite que j'aurais pu tout simplement chercher dans l'annuaire; l'idée ne m'avait pas effleurée. Sans doute était-ce cela dont j'avais besoin : mettre dans ses papiers mon nez et mes mains : charogner.

J'ai pris les notes et tout remis dans le sac. Je n'ai rien touché d'autre. En passant, un regard sur les couvertures des disques : les titres m'en étaient étrangers. Nous n'écoutons que du classique; pour le reste, je n'y connais rien. J'ai trouvé dans la pile de disques, le livret de Caisse d'Epargne : vide. Vidé.

Avant de quitter le studio, j'ai fixé le mot, là-haut, bien en face, et je lui ai claqué la porte au nez.

La jeune femme était en train de faire déjeuner son fils lorsque j'ai sonné, un étage plus bas. La fenêtre était grande ouverte et il y avait, sur la table, une cage avec un oiseau que je n'avais pas remarqué la première fois. Une de ces minuscules boules de plumes peintes que l'on gagne dans les foires et qui, paraît-il, meurent rapidement si elles restent sans compagnon.

Elle m'a priée d'entrer et s'est excusée : « Je ne peux pas lâcher Mathieu. Pour lui, l'heure c'est l'heure, et à cet âge-là on ne connaît que son estomac! »

J'ai pris place à côté d'elle : « Je ne resterai que quelques minutes. » Elle savait que j'étais là pour l'interroger; il n'y avait pas de problème entre nous. Je lui ai demandé s'il lui était arrivé de rencontrer des amis de mon fils.

« On se croisait parfois dans l'escalier. »

Parmi ceux-ci, avait-elle entendu le nom de « Renaud »?

« Comment voulez-vous? Vous savez, ça ne dépassait pas bonjour-bonsoir, et encore... »

Pouvait-elle me décrire certains de ses amis?

Il y en avait deux dont elle se souvenait : l'un parce qu'il portait une natte. « Et ils ont beau faire, ça ne donne jamais du si épais, du si fourni que les nôtres », a-t-elle remarqué en riant et agitant ses cheveux sous le nez de son fils; l'autre était un Asiatique.

J'ai jeté mon dévolu sur celui qui avait la natte. Renaud n'était pas pour moi un nom d'Asiatique.

« Il avait l'air comment?

— Pas le genre de votre fils. »

En parlant, elle donnait à manger à Mathieu qui ne quittait pas l'oiseau des yeux. « Il y avait aussi une fille », a-t-elle ajouté. A chaque fois qu'elle approchait la cuiller de la bouche de l'enfant, elle-même ouvrait la sienne comme pour donner l'exemple ou parce qu'il lui semblait se nourrir en même temps que lui. Elle l'a fait boire à plusieurs reprises : le tour du verre en plastique était ourlé de purée; j'avais envie de le laver.

« Quand votre mari est venu mettre de l'ordre, a-t-elle dit, je suis montée l'aider un peu, le pauvre. C'est des choses qui sont moins pénibles à deux. Il m'a dit que ça allait mieux !

— Notre fils est parti à la campagne hier, ai-je expliqué. Il va y rester un moment. »

L'enfant était distrait par l'oiseau; il essayait de lui parler. Sa mère a pris un châle et en a recouvert la cage. « La campagne, ça lui fera du bien ! Il parlait souvent d'une maison ! »

Je me suis levée; elle m'a raccompagnée à la porte; elle tenait toujours la cuiller. « Vous avez changé, a-t-elle remarqué d'une voix timide.

— Comment cela ?

— Je ne sais pas : vos yeux, votre regard, tout... »

L'enfant, sur sa haute chaise, tentait d'arracher le châle de la cage. N'y parvenant pas, il agitait pieds et poings. « Voyez-vous comme c'est pressé de vivre », a-t-elle dit avec orgueil.

Comme je m'éloignais de la maison, j'ai éprouvé une douleur aiguë à la mâchoire. Je ressentais cette même douleur autrefois, alors que je débutais dans mon métier, après un rendez-vous important. Le dentiste m'avait expliqué que c'était de trop serrer les dents. J'en ai éprouvé ce jour-là je ne sais quel obscur plaisir.

16

C'est un café moderne, divisé en boxes; avec éclairages tamisés, banquettes similicuir, plantes de plastique vert, serveurs en veste rouge : atmosphère.

Je pourrais décrire en détail les appliques dorées, dessiner de mémoire les motifs compliqués de la moquette, indiquer aux nouveaux venus les coins les plus tranquilles; les différentes catégories de consommateurs n'ont plus de secret pour moi : je les compare à des poissons.

Au comptoir viennent échouer les gros : poissons de mer profonde, hommes en récréation qui avalent quelques gorgées de café ou d'alcool en regardant, dans la glace en face d'eux, ceux qui prennent leur temps : poissons d'eau douce, couples qui dégustent des glaces compliquées décorées à la bombe de crème fouettée par le patron lui-même, jeunes discutant autour de bières, boissons gazeuses ou « espresso », lecteurs de journaux, installés le plus souvent à la terrasse, menu fretin, quelques femmes seules, plus très jeunes, dans la salle du fond. Nous, nous prenons du thé ou des jus de fruits, parfois une pâtisserie.

Chaque après-midi, me glissant sur la banquette, je me jure que c'est la dernière fois. A quoi bon venir là? Je m'attendais à un bar obscur, fréquenté par ces bandes de jeunes dont on évite de s'approcher. *Le Pierrot lunaire* est un café semblable aux autres, avec beaucoup d'ouvertures sur la rue et trop de lumières pour qu'on puisse s'y livrer à un trafic quelconque. Je n'y trouverai rien. Et pourtant, le lendemain, à peu près à la même heure, j'en pousse à nouveau la porte; dans ma journée, c'est ce moment qui compte : c'est pour venir ici que je tiens encore debout.

Dès le second jour, j'ai demandé au serveur s'il travaillait là depuis longtemps : « Cinq ans », a-t-il répondu. Mon fils, ai-je alors expliqué, était un habitué. Peut-être l'avait-il remarqué : un grand châtain très mince appelé Jean-Daniel; ce n'est pas un nom si courant? Il a souri d'un air poli : « Amenez-le-moi, on verra ça. Parce que, vous savez, avec tous ceux qui défilent ici! »

C'est aux alentours de six heures que les jeunes viennent plus nombreux. J'ai repéré un groupe; ils ont leur coin préféré : deux tables pas très loin de l'escalier qui descend aux « toilettes-téléphone ». Ils portent des couleurs vives, de fragiles écharpes indiennes; on ne peut dire qu'ils sont soignés. Dans l'ensemble, ils paraissent sans histoire : plutôt calmes; certains presque endormis. Parmi eux, j'ai remarqué un blond très beau qui paraît « de fondation ». Je le vois souvent écrire : un étranger?

Ce ne sont pas toujours les mêmes qui reviennent, mais ils ont quelque chose en commun :

nonchalance ? indifférence ? Je ne peux le définir : ils ne semblent pas concernés par ce qui se passe autour d'eux. Autre ressemblance : ils ne tiennent pas en place, sortent, rentrent, montent et descendent le petit escalier.

J'y suis descendue moi aussi. L'endroit est bien tenu : deux cabines téléphoniques, un lavabo, la porte « Lord » et celle « Lady », et, dans un coin, ce qui m'a étonnée, l'œil allumé d'une caméra. Le patron ne semble pas aimer qu'on s'y attarde; je l'ai vu, une fois, envoyer un garçon aux nouvelles.

Renaud fait-il partie du groupe ? Si je criais son nom, l'un d'eux se lèverait-il ? Je ne sais pas. Je me sens souvent dans une sorte de vague; peut-être les comprimés que je prends chaque nuit pour dormir ? Je sais qu'il y a dans mon sac deux tickets trouvés chez mon fils, qu'il s'est assis sur ces banquettes, qu'il y retrouvait Renaud, que Renaud a averti ses amis de ce qui lui était arrivé.

Il s'est passé, avant-hier, quelque chose que j'appelle « l'épisode de la petite cuiller ». Une jeune fille du groupe se lève et se dirige vers les toilettes. Un serveur s'approche d'elle, la main tendue; après avoir hésité, la fille y dépose quelque chose qu'il rejette sur la table d'un air dégoûté : une cuiller à café. Voilà !

Aujourd'hui, j'ai pris la décision d'agir. Il est six heures vingt. Dans dix minutes, je me lèverai et j'irai demander à ces jeunes s'ils connaissent Renaud; je prétendrai avoir une commission urgente à lui faire.

Au lieu de mon thé, j'ai bu un porto pour me donner du courage. C'est au blond que je m'adresserai : sa beauté me rassure; il écrit, comme d'habitude! A ses côtés, un brun court aux traits grossiers : son contraire; deux filles seulement, la mine fatiguée, le visage caché par leurs cheveux. Tout se passera peut-être le plus simplement du monde; peut-être me désignera-t-il ce brun à ses côtés : « C'est lui. » Je lui demanderai de venir à ma table. Après, tout est brouillé; j'ai trop d'angoisse et de dégoût devant les questions à poser.

Il est six heures vingt-cinq et mon cœur bat. Je n'ai jamais eu tellement de courage. Je m'apprête à appeler le garçon pour payer ma consommation quand soudain, en moi, le monde se fige.

Un nouveau venu vient d'entrer et s'approche du groupe. Il porte une veste militaire de couleur kaki, des godasses montantes lacées; il a, aux oreilles, l'appareil à la mode : écouteurs reliés à un magnétophone, et, autour du cou, enroulée plusieurs fois, une écharpe très particulière, rayée de différents bleus : je l'ai offerte à Jean-Daniel pour Noël.

Le monde est en suspens. J'ai acheté cette écharpe à Londres, dans une bonne maison; je ne peux pas me tromper : c'est elle. Et comme il la déroule, apparaît une natte. « Ils ont beau faire, ce n'est jamais si fourni que les nôtres »... Une queue de rat attachée par un élastique.

Tout se brouille dans ma tête. J'ai très chaud aussi. C'est Renaud, j'en suis sûre, celui qui a averti les amis d'Anne-Marie de ce qui était arrivé à mon fils, l'un de ceux qui ont ravagé son studio, le pourvoyeur d'héroïne.

Il jette son sac de toile sur la table, parmi le fouillis de tasses, paquets de tabac, journaux. Les autres se poussent pour lui faire de la place. Il s'installe. Je ne vois plus, par-dessus le dossier de la banquette, que des têtes rassemblées. Je me soulève : il me semble qu'il sort discrètement quelque chose de son sac, il me semble que d'autres mains s'approchent des siennes, que le patron est attentif, le temps arrêté, ma vie tout entière rassemblée en un point : ici. Maintenant.

Les mains se séparent. Il se lève très tranquillement et, sans regarder autour de lui, laissant son sac sur la table, se dirige vers les toilettes.

Je me lève moi aussi. Nous y sommes! Voilà pourquoi depuis huit jours je venais là; pour ce moment où, les jambes en coton, me tenant au mur, je descendrais les marches de l'escalier, derrière ce garçon à natte, au bord d'un monde qui m'épouvante.

L'une des deux cabines téléphoniques est occupée par une femme; l'autre est libre. La porte des « Lord » est fermée. Je vais au lavabo et fais couler de l'eau. J'y plonge mes mains. On prétend que cela calme. Les murs sont recouverts d'une matière synthétique brune mêlée de traînées ocre : on pense à ces paysages que traversent les capsules dans les films de science-fiction. Le point rouge de la caméra brille derrière mon dos. Dans le sac à provisions posé près de la cabine : un paquet de farine, des yaourts, des abricots. Quelque chose tinte sur le sol, derrière la porte « Lord ». Une minute encore et elle s'ouvre : le garçon apparaît.

« Renaud! »

Il ne réagit pas, continue son chemin. Est-ce vraiment un brouillard de musique que j'entends autour de lui ou mes oreilles qui bourdonnent ? Le magnétophone, pas plus grand que ma main, se trouve dans la poche intérieure de sa veste. Je touche son bras. Il s'immobilise, étonné, méfiant. Ses traits sont grossiers; son regard est très pâle : « Vous vous appelez Renaud, n'est-ce pas ? » Je l'ai crié. C'est absurde, cet instrument : on pourrait hurler : « je meurs », ou « je t'aime », ou : « tu vis », sans qu'un muscle de son visage ne frémisse. J'ai envie d'arracher les deux pastilles blanches qui ferment ses oreilles et le ferment à mon angoisse. Il secoue négativement la tête et reprend sa marche vers l'escalier.

« Cette écharpe, où l'avez-vous eue ? »

J'en ai saisi un pan; il s'arrête à nouveau.

« Je sais à qui vous l'avez prise ! A mon fils : Jean-Daniel. »

Il me repousse et disparaît dans l'escalier. Je ne suis même pas sûre qu'il m'ait entendue. J'avais tout prévu sauf cela : qu'une musique pour moi inaudible nous séparerait; oui, l'absurde. L'écharpe m'est restée dans les mains.

La femme sort de la cabine et me regarde. L'eau coule toujours. Je tourne le robinet, roule l'écharpe. « Vous avez besoin de quelque chose, madame ? — Non merci, rien. » Elle ramasse son sac et monte. Je suis seule face à ce visage chaviré dont brusquement la jeunesse s'est détachée. « Vous avez changé »... Menton crispé, regard dur.

Je me détourne. Il a laissé la porte des toilettes ouverte et, sur le sol, derrière le siège, quelque chose brille; j'entre; c'est bien une cuiller à café. Le manche en est tordu; elle a été chauffée, à côté, un journal froissé; dedans, une seringue en plastique. J'ai mal au cœur. Je ramasse le tout.

Un serveur me croise dans l'escalier. J'avais oublié la caméra! C'est pour moi qu'il descend : il s'arrête en me voyant. Je l'écarte. Encore un peu de temps! Le groupe est toujours là mais sans Renaud. Ils me regardent en silence. J'y vais.

« Où est-il parti?

— Qui est parti? demande l'une des filles.

— Renaud.

— Quel Renaud? »

Elle me regarde sans étonnement sous ses cheveux bruns qui tombent en frange au ras de ses yeux. Elle la voit bien, pourtant, l'écharpe dans mes mains. Pourquoi ne me la réclame-t-elle pas? Devant leur silence, je ne sais plus que dire et les seuls mots qui me viennent sont ceux que je m'étais juré de ne pas prononcer.

« Je suis la mère de Jean-Daniel!

— Quel Jean-Daniel? »

Sur la table, je lance la cuiller et la seringue. La seringue rebondit avant de tomber sur le sol. Ils se lèvent tous : tous ensemble. Dans les boxes voisins, les gens nous regardent : poissons d'eau douce et d'eau de mer, mangeurs de glaces compliquées, dames à thés complets. Sans hâte excessive, en personnes qui n'ont rien à se reprocher, ils se dirigent vers la sortie, évitant de me bousculer. Je suis.

C'est une heure de grande circulation : se croisent et s'entrecroisent les poissons de chair et de tôle. Ignorant les feux, les uns derrière les autres, les jeunes traversent l'avenue; je pars à leur suite. Une camionnette freine brusquement : « Alors, maman! Ça va pas, non? » Je les perds un instant de vue; les gens s'écoulent en masse par les portes vitrées d'un grand magasin. Je n'ai plus l'écharpe. J'ai perdu ma pièce à conviction. Je n'ai pas payé mon porto. Ils ont dépassé le magasin et le garçon à natte est de nouveau avec eux : c'est un aveu! En quittant le café, il me fuyait. C'est bien Renaud. Ils quittent l'avenue pour une rue plus calme.

« Attendez! »

Je cours. J'ai cassé un de mes talons : « Mais attendez! » Ils s'arrêtent un peu plus loin. Je les rejoins. A droite, au second étage d'une maison, on peut voir un salon tranquille; un lampadaire est allumé malgré le jour; du balcon, pend un gros bouquet d'impatiences; tout cela c'est l'image de mon passé.

« Il faut que je vous parle... Ne me dites pas que vous ne le connaissez pas... je vous en prie. »

J'ai du mal à récupérer mon souffle. Le blond se tient un peu en retrait des autres, à côté de Renaud. Le brun a passé son bras autour des épaules de la fille qui m'a répondu tout à l'heure. Plusieurs d'entre eux portent une unique boucle d'oreille; il paraît que c'est un signe de ralliement.

« Je veux savoir... Jean-Daniel... Vous le connaissez depuis quand? Je ne ferai rien contre vous mais je dois savoir ce qui s'est passé. »

Alors que tout mon être les rejette, je les supplie. Je ne sais plus qui je suis. J'ai l'impression de me défaire : c'est l'impuissance.

« Il ne s'est rien passé, dit le brun. Il ne se passe rien. Et maintenant, laissez tomber! »

Ils reprennent leur marche. La chaleur monte du plus profond de moi-même, m'envahit, fait battre mes tempes. Je vois Jean-Daniel avec eux, me regardant par leurs yeux. « Je fais mon droit. Anne-Marie viendra bientôt. Tout va ! » A sa façon il me disait, lui aussi : « Laisse tomber ! »

Ils vont bientôt tourner. Je m'arrache au mur et cours à leur suite. « Attendez ! » Je ne peux plus faire autrement; pas d'autre issue. Je crois que j'aimerais qu'ils me frappent; en m'accrochant ainsi à eux, je crois que je le leur demande : au moins, je compterais.

Soudain, comme à un signal, ils se mettent tous à courir; au même moment, une sirène retentit; elle emplit la rue de son vacarme et de son œil bleu mouvant. Le car de police s'arrête près de moi; deux hommes en sautent : deux hommes aux cheveux longs, en civil; ceux qui restent à l'intérieur portent des uniformes. Il y a une femme à la fenêtre. Les hommes m'entourent. Je leur montre, au coin de la rue, la bande qui disparaît : « Arrêtez-les, c'est des drogués, j'ai la preuve. »

Mais c'est moi qu'ils embarquent.

17

« LE garçon à natte, dit Laffond, se prénomme Fabrice. Famille de l'aristocratie : père totalement hors du coup; mère dépressive. Lui? Brillantes études : commerciales, je crois. Et tout d'un coup, il lâche. Ne fait plus rien sauf se camer... Le blond, c'est Denis. Les Beaux-Arts! Un dessinateur exceptionnel dont on ne trouve malheureusement les œuvres que sur les murs des hôpitaux où il a fait plusieurs séjours. L'une des deux filles est son amie : elle se dope elle aussi à l'héro. Il est rare que dans un couple l'un parvienne à rester blanc. Comme tout le monde, plus que tout le monde, les toxicos souffrent de solitude : ils ont besoin de chaleur; ils ne peuvent la trouver qu'entre eux. »

Il prend le gobelet d'eau sur son bureau et me le tend. Je laisse mes lèvres quelques secondes dans la fraîcheur : gagner du temps! Mais sur quoi? La honte peut-être; le moment où je me verrai dans la glace : cheveux collés au crâne, vieille, sale. Dire que j'ai été coquette! Il y a encore quelques semaines, dans la rue, des hommes se retournaient sur moi et j'aimais cela. Je fixe, derrière Laffond, le ciel traversé de nuées oranges; il est sept heures, un soir de printemps comme les autres.

« *Le Pierrot lunaire* est sous surveillance. Le patron nous a demandé d'y faire une descente pour décourager les toxicos qui y ont élu domicile, ce qui ne l'arrange pas du tout. Mes hommes vous ont repérée au début de la semaine : " Une dame qui se plaçait toujours le plus près possible de leur table. " Ils se demandaient quel rôle vous jouiez. Je vous ai reconnue à leur description. Vous savez comment ?

— Non.

— Ils m'ont dit : " Elle a le menton dans les mains et le cou en avant; elle les regarde comme si elle allait crier... mais elle ne crie pas. " »

Ma gorge se bloque. Je me détourne : Crier ? Si je pouvais !

« Pourquoi ne m'avez-vous pas arrêtée tout de suite ?

— Vous n'êtes pas en état d'arrestation. Mes hommes avaient simplement la consigne de vous éviter des ennuis. »

Il se tait mais son regard continue à m'interroger. Dans son visage large, solide, de bagarreur fatigué, de baroudeur à cheveux gris, ses yeux apportent un mélange de lumière et de lassitude. C'est un homme qui s'est battu. Moi, me voilà revenue à la ligne de départ.

« Vous les connaissez ! Vous savez où ils se retrouvent, ce qu'ils font, et vous laissez !

— Nous faisons ce que nous pouvons. Presque tous ceux que vous avez vus au *Pierrot lunaire* sont passés par ici. Plusieurs ont suivi des cures de désintoxication. »

Il montre les dossiers empilés devant lui : « Il y a dans Paris cinquante cafés comme *Le Pierrot*. La drogue circule aussi dans les couloirs des universités; elle est aux portes des lycées, dans les soirées des beaux quartiers...

— Je ne voulais pas parler de ceux qui en sont victimes, dis-je. Je parlais des salauds qui la vendent.

— Venez avec moi », ordonne-t-il.

Il marche jusqu'à la porte et m'attend. Je n'ai pas le choix : j'obéis. Mes jambes sont douloureuses et j'ai presque froid maintenant; mon corsage colle à ma poitrine. Nous traversons un premier bureau où se trouvent les deux hommes qui m'ont menée ici; ils évitent de me regarder. Dans un second bureau, un jeune aux cheveux courts prend en photo un jeune aux cheveux longs, au menton hautain. Il le fait mettre de profil : « Encore une, mon vieux. Ne bouge plus. » Couloirs... poussière...

« Voilà ! »

C'est une sorte de cage grillagée fermée par un gros cadenas; à l'intérieur, un amas de sacs, mallettes, valises, cartables.

« Chanvre, héro, cocaïne, explique Laffond. Le butin de ces derniers jours : le travail des fourmis.

— Les fourmis ?

— Fabrice, Denis, les autres... ceux qui vont directement chercher la drogue à l'étranger. Ils ramènent ce qu'il leur faut pour couvrir les frais du voyage et se ravitailler, eux et les copains. Ils ne travaillent pas pour le profit et ils sont des milliers comme ça. »

Je regarde tous ces balluchons, la plupart du temps minables. Il y a tout, même des trousses de toilette, même une trousse tout court. Et c'est plein de tout ce qu'il faut pour mourir.

« Quand ça ne tient plus, on brûle. Ça pue! »

Nous revenons vers le bureau. Je précède Laffond.

« Qui cherchez-vous? demande-t-il. Un gros? Un de ces types haut placés dont on parle dans la presse, qui s'engraisse en pourrissant la jeunesse? Vous ne le trouverez pas. Les réseaux sont inextricables. Il y a des organisations internationales qu'il faut parfois des années de travail pour démanteler, d'énormes intérêts en jeu. Vous, vous ne trouverez jamais que des malades, des fourmis, des Fabrice ou des Denis; et en ce qui concerne votre fils le problème n'est pas là! »

Il referme la porte. Je suis revenue machinalement à mon siège. Je prends ma tête dans mes mains : trop dure, cette journée!

« Regardez-moi », ordonne-t-il.

Je relève mon visage, surprise par le son de sa voix; il semble en colère contre moi.

« Un drogué, c'est d'abord deux yeux! Sans lumière, trop pâles ou bordés de rouge, fuyants, ailleurs, ou fous, ou désespérés : deux yeux qui ne trompent pas. Quand je vois entrer quelqu'un ici, je ne peux plus ne pas me poser la question. Pouvez-vous comprendre que parfois j'ai besoin de gens qui me regardent en face? De vrais regards?

— C'est vous qui avez choisi ce métier.

— Et ce que j'y fais de plus efficace est d'amener quelques parents à " voir " vraiment leurs enfants. Vous tournez le dos à votre fils, madame. »

Je me lève.

« Comment pouvez-vous dire cela ? »

Moi, je tourne le dos à mon fils ? Je le lui tournais tout à l'heure, dans les toilettes, ramassant cet objet ignoble ? Et Gilles alors ! Gilles qui a repris son travail : de neuf à sept avec déjeuner d'affaires bien arrosé pour la détente; Gilles que j'ai entendu rire au téléphone, qui mange, dort et joue au golf. Et lui, ce flic, qui avoue son impuissance et ne sait que sermonner les parents.

« Tant que vous ne penserez qu'à trouver des coupables; que vous chercherez à vous convaincre que votre fils a été entraîné par des salauds et refuserez de le voir tel qu'il est, avec toutes les raisons bonnes ou mauvaises qui l'ont amené à se shooter, vous ne pourrez pas l'aider.

— Je ne fuis pas la vérité, dis-je. J'y suis jusqu'au cou. Je vois un tas de jeunes mal dans leur peau; ça a toujours été comme ça et ça sera toujours comme ça. Mais qu'est-ce qui se passe ? Vous l'avez dit vous-même : " Plus il y a de drogue, plus il y a de drogués ! " Et aujourd'hui, elle est partout, la drogue; et comme vous êtes incapable d'enrayer cela, vous clamez : " Ce n'est pas le problème ! " »

Je lui tourne le dos et marche vers la porte.

« Voulez-vous m'écouter ? dit-il d'une voix forte.

— Je sais par cœur ce que vous allez me dire.

— Alors vous allez l'entendre à nouveau. »

Il s'est mis entre la porte et moi. J'ai envie de rire; nous ne sommes pas au théâtre.

« Il y a en effet un tas de jeunes mal dans leur peau, acquiesce-t-il; et ce n'est pas facile de vivre actuellement! Mais parmi eux, cent disent : " non " à la drogue et deux l'acceptent; et deux sont demandeurs. Ils n'attendent pas qu'on leur en propose; ils vont la chercher; ils en demandent et redemandent en toute connaissance de cause, en sachant parfaitement où ça les mènera. Votre fils a dit : " oui " et il était majeur. Pourquoi?

— Laissez-moi, dis-je. Je ne me sens pas bien. Je voudrais rentrer chez moi. »

Il libère la porte : « Comme vous voudrez. Mais je vous demande d'attendre votre mari. Il ne devrait plus tarder.

— Vous l'avez averti?

— J'aurais dû le faire plus tôt. Je ne peux pas vous obliger à collaborer avec nos services, ni vous empêcher de vous livrer à vos propres recherches. Je peux essayer de vous protéger contre vous-même. »

Sa voix est maintenant tout à fait lasse, presque indifférente : « Il me semble aussi que le premier service à rendre à votre fils serait d'agir en accord tous les deux. »

Agir? Mais comment? Est-ce que Gilles agit? En se reposant sur la police et sur la médecine?

« Vous feriez mieux de vous asseoir. »

J'obéis. Mais il n'aura plus mon regard. C'est fini.

Le téléphone sonne sur son bureau; il s'empresse de répondre; il doit avoir hâte de se débarrasser de moi, maintenant. « Il peut monter »,

100

dit-il. Dans quelques minutes, Gilles va ouvrir cette porte. Je le suivrai et ne reviendrai plus jamais ici. C'est la dernière fois que je vois cet homme et, au portemanteau, cet imperméable fatigué qui lui ressemble. Ainsi, pour lui, Jean-Daniel aurait été demandeur? Parce qu'il lui a parlé une heure à l'hôpital, il croit le connaître mieux que moi. Il ne l'a jamais vu courir vers la mer en criant de joie, offrir son visage au vent et au soleil; il ne l'a jamais entendu dire de sa voix tremblante, émue : « La vie, maman, la vie c'est chouette! »

Je regarde sa main; il ne porte pas d'alliance.

Je lui dis : « Un enfant, vous ne pouvez pas savoir, monsieur! Ce sont des centaines de moments infimes et précieux, des gestes simples indéfiniment répétés mais qui, tous, puisent directement dans la vie. Ce sont des nuits passées à l'écoute d'une respiration, une chaleur qui se transmet aussi loin que l'on soit l'un de l'autre; c'est un être nourri de soi et dont on se nourrit. C'est vraiment soi! »

Il a levé les yeux et il écoute. Peut-être personne ne lui avait-il jamais parlé ainsi. Peut-être ne savait-il pas.

« Alors, quand brusquement ça casse, on a l'impression d'avoir vécu pour rien. »

J'ai le visage sur mes poings, le cou tendu, le regard qui crie; je vois tout ça dans son regard. Et cette journée remonte en moi en une immense vague de dégoût. Je perds pied. Je suis en eau. J'entends la chaise qu'il repousse, sa voix : « Ça va aller, ça va aller. » Il est derrière moi, les mains posées sur mes épaules, près de la nuque et, des deux pouces, il les détend. Cela me fait très mal. Et, comme appelés par ses doigts, les sanglots montent et me libèrent; et comme pour m'en excuser, m'en défendre, je répète : « Vous ne pouvez pas savoir. Vous ne pouvez pas savoir.

— J'avais une fille », dit-il.

18

Docile, j'ai suivi mon mari; il m'a soutenue jusqu'à la voiture; ce geste, comme tout à l'heure
celui de Laffond pour me barrer la porte, me
semblait théâtral; j'avais envie de rire.

J'ai appuyé ma tête au dossier et fermé les
yeux; c'était l'un de ces moments où l'on ne par-
vient pas à rassembler ses idées : elles se succè-
dent, se mêlent, tourbillonnent sans fin : on voudrait abandonner mais ce n'est pas possible.

Gilles conduisait comme d'habitude, souplement, sans agressivité; son calme me faisait du
bien : il y en avait au moins un qui savait où il
allait et je lui étais reconnaissante de ne pas me
parler : pas encore!

La lumière était allumée dans l'entrée et, près
du téléphone, nous avons trouvé un mot de
Laure; elle avait accepté l'invitation d'Aude à rester chez elle ce soir et espérait que cela ne nous
ennuierait pas... comme d'habitude, elle avait
signé d'un cœur.

« C'est mieux comme ça, a constaté simplement Gilles. En ce moment, Laure a besoin d'être

103

protégée; même si elle ne dit rien, elle ressent tout; ne t'y trompe pas! »

Pour la première fois, j'ai senti de la rancune dans sa voix.

J'ai fait couler un bain très chaud et me suis défait de mes vêtements en les mettant directement au sale. Je suis restée dans l'eau, la grosse éponge sous ma nuque, jusqu'à ce que Gilles m'appelle pour dîner; je regardais les pots, les flacons, les bouteilles de parfum : ces bouées.

Il avait mis le couvert et préparé un repas froid; je me suis assise en face de lui; le moment était venu où il allait me parler et j'étais si fatiguée.

« Ghislaine a appelé. Elle m'a appris que tu avais décommandé tous vos rendez-vous.

— C'est vrai.

— Depuis combien de temps ne travailles-tu plus?

— Je n'ai jamais réellement repris.

— Et tu penses que cela va te mener où? »

J'ai ri : « Là n'est pas la question. Je ne peux pas, c'est tout. Ce n'est pas faute d'avoir essayé. »

Dans le studio de Jean-Daniel, j'avais trouvé des coquillages : quelques nacres éteintes, de minuscules « cochonnets » roses comme des mâchoires refermées; j'avais trouvé aussi un galet de granit bleu et l'un de ces morceaux de bois tordu dont certains font des ouvre-bouteilles.

« Choisir des rideaux, des papiers muraux, des meubles, tout ça, en ce moment, n'a plus aucun sens pour moi. J'ai envie de dire à Ghislaine : " Cela ne sert à rien, tu verras! " J'ai envie de dire à tout le monde : " Vous verrez. "

— Alors change d'air, a-t-il dit. Partons ensemble quelques jours; où tu veux. »

Je pouvais choisir mon voyage, mon soleil, ma mer, mon oubli. Il s'arrangerait. J'ai refusé : « Pas pour l'instant ! » Les choses étaient trop récentes : je les transporterais avec moi. « Mais je te promets de retravailler. »

Il mangeait son jambon et buvait sa bière, sans faire de bruit, avec une sorte de précaution parce que devant la souffrance on n'ose pas avouer qu'on a faim. Je me faisais des reproches : à chacun sa façon de souffrir; lui, il parvenait à se dominer; pas moi. Cela ne voulait pas dire qu'il était moins atteint. Et au lieu de l'aider à « faire front », comme disait Laffond, j'ajoutais à sa peine.

Il a regardé au loin : « Tu sais, a-t-il dit, quand Jean-Daniel était gosse, je pensais que nous nous ressemblions; je retrouvais en lui des choses de moi et cela me faisait plaisir. »

Après le dîner, nous sommes passés au salon et je suis venue m'asseoir à ses côtés. Il avait mis un disque que j'aimais; certaines musiques, certaines voix surtout me troublent profondément; Laure dit qu'elles me font « planer » !

J'ai posé ma tête sur son épaule. Il m'a entourée de son bras avec un long soupir : « Je ne te reconnaissais plus; tu n'étais plus Nadine... » Comme l'espoir lui revenait vite ! J'ai murmuré : « Je suis toujours Nadine, seulement, je crois que j'ai vieilli, comme ça, d'un coup.

— Non, a-t-il dit fortement, et je t'aime. »

J'ai murmuré : « moi aussi ». Mais qu'est-ce que c'était, l'amour aujourd'hui, entre nous ? Fait de ces jours passés qui se défaisaient en moi, construit en joies basées sur l'illusion. Ah! oui. Je croyais qu'il fonctionnait bien, notre petit univers à quatre! Je ne me posais pas de question; tout allait au mieux et nous nous aimions; nous pouvions marcher tête haute, donner des leçons. Pas difficile! Qu'est-ce qu'il avaient, les autres, à ne pas y arriver? Volonté, énergie, regard, tendresse : et voilà! L'amour, aujourd'hui, cela devrait-il être de recoller les morceaux pour, comme on dit, « faire avec »? Répéter différemment les gestes et les phrases d'avant : continuer malgré tout? Et alors que, tout à l'heure, chez Laffond, je n'avais qu'une hâte : rentrer; maintenant, très violemment, dans ce décor cassé, j'éprouvais le besoin de revoir cet homme, d'entendre sa voix rude : « Ecoutez-moi! » « Regardez-moi! » Le besoin d'être prise par les épaules, guidée. Lui, il savait! Il comprenait! Et ce n'était pas à mon mari, au père de mon enfant blessé que j'avais envie de raconter ce qui m'était arrivé au *Pierrot lunaire*, en face de ce jeune aux oreilles bouchées : l'impression soudaine d'être abandonnée, larguée, au seuil d'un univers où je n'aurais jamais ma place et que j'avais pourtant, à ma façon, je ne sais comment, contribué à construire.

J'ai murmuré : « Moi aussi, je t'aime. » La main de Gilles a quitté mon épaule et s'est glissée sous le peignoir. Je ne bougeais pas, retenant mon souffle. Oh! non. Pas l'amour! Rester dans la tendresse, le silence. Ses lèvres sont venues chercher les miennes; j'ai détourné mon visage. Mais il refusait de comprendre; son autre main dénouait

106

la ceinture du peignoir; j'étais nue; le désespoir m'envahissait; c'était comme une eau sale. J'ai dit : « Non! S'il te plaît! » Sans m'écouter, il a écarté mes mains pour me caresser. Je nous regardais tous les deux dans ce salon très éclairé, sur ce canapé où Jean-Daniel venait s'asseoir pour nous mentir. Sa main descendait sur mon ventre; tant pis pour moi, pour lui; je ne lui appartiendrais pas; il n'aurait de moi qu'une illusion, un fantôme de femme, comme nous n'avions eu que l'illusion d'un fils heureux.

Il s'est agenouillé devant moi. Il me tenait les poignets pour m'empêcher de le repousser. Je savais ce qu'il voulait me dire avec ses moyens d'homme : « Tu es jeune, sensible et belle. » C'était sa façon de me ramener à la vie; il ne pensait qu'à moi, suivant la progression d'un plaisir que je refusais mais qui venait malgré moi m'ouvrir. Et j'apprenais que d'un « non », la vie peut tirer un « oui » déchirant. J'apprenais la déchirure et ma faiblesse. Laffond se dressait devant moi : « Regardez-moi! » ordonnait-il. J'ai ouvert grand les yeux et j'ai abandonné. Le plaisir a déferlé. Bien longtemps après, mon corps en répétait les ondes.

Ce matin, dimanche 1er juin, nous avons été réveillés par un martellement continu dans la rue. Je suis allée à la fenêtre du salon; Laure y était déjà; Gilles nous a rejointes. Dans le soleil, entre les marronniers épanouis, une vague incessante de patineurs glissait. Ils portaient des vêtements colorés et la plupart étaient casqués; entraînés par les mouvements souples de leurs bras, ils allaient sans prendre garde aux voitures, dans une ville, qui, pour eux, retrouvait ses dimensions premières, appartenait à leur élan. C'était beau : c'était la jeunesse !

Sur les balcons, d'autres adultes sont apparus. Nos regards se sont croisés et nous nous sommes souri sans nous connaître. Aussi loin que l'on regardait d'autres patineurs arrivaient.

C'est en voyant Laure sortir de la maison que nous nous sommes aperçus qu'elle n'était plus à nos côtés. Elle avait ses patins aux pieds. Elle a levé la tête et nous a regardés, l'air à la fois heureux et hésitant.

« Elle n'a pas de casque, ai-je remarqué.

— Vas-y ! Fonce ! » a crié Gilles.

Elle s'est élancée.

19

En ouvrant la porte de la maison, j'ai entendu des rires : Anne-Marie était là; elle faisait une partie de dominos avec Laure, fenêtres du salon ouvertes sur le printemps, musique déchaînée.

Je me suis arrêtée dans l'entrée : tant de souvenirs refluaient! A l'époque où Jean-Daniel habitait encore ici, Anne-Marie venait très souvent et, ce soir, il me semblait que j'allais les retrouver tous deux dans le salon. Mais ce n'était pas mon fils qui avait invité son amie à monter; c'était Laure qui l'avait rencontrée dans la rue.

Anne-Marie a gagné la partie et en semblait heureuse comme une gamine. A Dinan, nous a-t-elle raconté, il y avait un café où l'on jouait aux dominos et, toute petite, elle allait y défier les plus vieux, les plus coriaces. Parfois, elle gagnait; sa mère était si fière! Maintenant, elle n'était plus très sûre de ses victoires! Parmi les joueurs, il y en avait un qu'elle préférait : un ancien marin-pêcheur qui assurait que sa peau était à jamais imprégnée de sel marin; elle prenait sa main par surprise et la léchait pour vérifier.

Gilles a semblé heureux de la trouver là et nous

l'avons invitée à rester dîner. Sa présence emplissait la maison; nous avions soudain davantage de choses à nous dire. Et puis elle savait! Pas besoin de tricher.

Elle a fait grand honneur au repas; elle avait maigri; sans doute, comme beaucoup de jeunes isolés, se nourrissait-elle n'importe comment. Après le dîner, nous avons bavardé un long moment; elle s'était éprise de la langue anglaise, nous a-t-elle expliqué drôlement, grâce à un speaker londonien qu'elle écoutait chaque matin sur sa radio. Que racontait-il exactement ? Etait-il jeune, vieux, célibataire ou marié, elle n'en savait rien, mais sa voix était belle, calme et son accent savoureux; il lui donnait l'impression de voyager.

Là, nous l'avons vue se rembrunir : le cours où elle étudiait l'anglais projetait un week-end à Londres; ses parents devaient lui envoyer l'argent nécessaire au voyage mais rien n'était encore arrivé et il allait être trop tard pour s'inscrire. Elle serait si heureuse si nous pouvions lui avancer la somme : elle nous la rembourserait très vite.

Gilles a sorti aussitôt son carnet de chèques : « C'est un cadeau, a-t-il dit, à condition que tu emploies l'argent de tes parents à remplir un peu mieux tes joues ! » En le remerciant, elle avait les larmes aux yeux; il lui a offert alors, lorsqu'elle aurait son diplôme de secrétaire bilingue, de s'adresser à lui pour trouver un travail intéressant : pourquoi pas dans une agence de photos ?

Je ne sais si nous faisions tout cela pour elle, pour notre fils ou pour nous, mais un courant passait et nous nous sentions mieux.

C'est seulement avant de s'en aller, dans l'entrée, qu'elle nous a demandé si nous avions des nouvelles de Jean-Daniel; elle, n'en avait aucune.

Nous n'avions rien reçu encore de lui; je lui ai expliqué que nous respections son silence, bien qu'il nous fût pénible. La main d'Anne-Marie tremblait sur la poignée de la porte et elle s'est détournée pour nous cacher ses larmes. Elle l'aimait donc encore! Je l'ai serrée contre moi comme ma fille : « Reviens! Tu es chez toi! » Elle a promis.

Nous avons parlé d'elle avec Gilles, une fois la lumière éteinte; nous avions envie de l'aider; je l'imaginais, rentrant seule dans sa petite chambre, si loin de sa famille, son enfance, le café aux dominos, le pêcheur aux mains salées. Son regard brillait tant lorsqu'elle en parlait! Je me suis souvenue de sa réponse à ma question : « Es-tu heureuse? » Elle avait regardé autour d'elle : « Comment voulez-vous? » J'avais oublié!

La souffrance est comme la mer. Parfois elle vous suffoque, vous submerge; parfois elle se retire, vous laissant nue. Il y a des moments où je ne sens plus rien : je perds Jean-Daniel, il devient flou, c'est comme une mort. Dans ces moments-là, je pars en reconnaissance; je vais au-devant de la vague, cherchant la douleur comme on ne peut s'empêcher d'appuyer la langue sur une dent malade, et je me sens mieux lorsque je l'ai trouvée, qu'elle est là, avec le sel brûlant du vertige et de la peur.

Demain, dimanche, nous avons rendez-vous avec Martin.

20

IL porte une chemisette de tennis, un pantalon de toile; il a le teint hâlé et, dans le sourire, quelque chose de rajeuni. Nous le suivons dans son bureau. Odile, sa femme, est auprès de son père malade : nous ne la verrons pas. Ses enfants? Cela fait longtemps qu'il a renoncé à leur demander où ils passent leurs fins de semaine! Il s'amuse comme un gamin à nous préparer des cafés bien serrés à l'aide de la machine électrique italienne que lui a offerte un client; nous, nous lui avons envoyé du vin.

« Vous ne pouvez pas savoir ce que c'était! soupire-t-il. Le printemps explosait partout; je n'ai pas pu résister : après avoir déposé Jean-Daniel, j'ai fait un saut près de Cavaillon, chez ma mère. Juste le temps de l'embrasser et me voilà étalé dans le jardin, sous le figuier, vous savez? Ma mère rouspétait : " Mais qu'est-ce que tu fais donc? Viens plutôt te mettre à l'aise! " Je répondais : " Je me lave : de l'hiver, de la ville, de je ne sais pas. " Ce bleu, ce vert et ces odeurs, il n'y avait plus que ça de vrai! »

Il regarde autour de lui : le vaste et beau

bureau empli des preuves de sa réussite, mobilier ancien, tableaux de maîtres, livres reliés; du sérieux, fait pour durer; je connais! Je sais ce que cela a représenté d'efforts pour un homme « parti de rien », qui, étudiant, empruntait à Gilles de quoi s'acheter un cornet de frites. Toutes ces belles choses, il les a voulues et, pour les avoir, des années durant, il a serré bien fort les dents.

« Vous ne pouvez pas savoir, répéte-t-il. J'avais envie de planter un arbre... »

Son regard va à la fenêtre, s'évade. Maintenant, il vise une maison sans confort dans un village isolé du Midi : la partie de boules du soir, le verre avec les amis, un vibrant damier vert et bleu sous un figuier.

« Pour en revenir à Jean-Daniel..., dit Gilles.

— Mais nous y sommes! »

Le cri m'a échappé; mon mari me regarde, inquiet.

« Que veux-tu dire?

— Martin parlait de " vérité "; la vérité, pour Jean-Daniel, qu'est-ce que c'était?

— Explique-toi, demande notre ami.

— Ce n'était pas les études de droit. Ce n'était sans doute que Paris. Ce n'était peut-être rien de ce que nous lui avons offert! »

J'ai parlé avec désespoir. Je voudrais qu'on me rie au nez; qu'on m'explique que la souffrance vous porte à chercher des responsables là où il n'y a, en somme, qu'une ratée banale de la vie.

« Ce n'était sans doute pas le droit, acquiesce Martin, et ce n'était peut-être pas Paris. Mais cette vérité, il appartient à chacun de la trouver, et si proche que vous ayez été de Jean-Daniel, vous ne pouviez le faire à sa place.

— Nous pouvions mieux le guider.

— Jusqu'à un certain point seulement. »

Il va à son bureau, ouvre une belle boîte de bois, propose un cigare à Gilles, en choisit un pour lui.

« Que t'a-t-il dit ? demande Gilles brusquement.

— Très peu de chose ! Par exemple : " J'ai des parents formidables : ils ont tout fait pour moi. " J'ai traduit : " Pour moi qui ne suis rien ! Moi qui ne leur rends rien : que du souci... "

— Des parents formidables...

— ... " passionnés... bien dans leur vie... leur peau; heureux de toutes sortes de choses qui, à moi, n'apportent aucun plaisir... "

— Pourquoi ?

— Je ne sais pas, » reconnaît Martin.

Gilles pose le cigare sans l'allumer : « Si on ne sait pas, si on ne sait rien, comment va-t-on le tirer de là ?

— Un grand pas est déjà fait. Il n'aura plus à vous jouer la comédie du bonheur. »

Gilles se détourne.

« Parle-nous encore de lui », murmure-t-il.

Il vient s'asseoir près de moi et nous attendons, mendiants de lumière et d'espoir. Martin va s'installer à son bureau : est-ce l'ami ou le médecin qui va parler ? Ce sera aussi, forcément, le père de famille qui pense à ses enfants et s'est dit : « J'ai de la chance », et a eu envie de toucher du bois.

« Pour se droguer, explique-t-il, certains ont, peut-on dire, de " bonnes raisons " : la misère, une famille éclatée, une enfance massacrée, que sais-je? Pour d'autres, c'est différent; ils recherchent parfois tout simplement dans la drogue un plaisir de vivre qu'ils se sentent incapables d'éprouver autrement.

— Pourquoi? demande à nouveau Gilles.

— Pourquoi, répond Martin, de deux arbres plantés côte à côte, avec la même part d'ombre et de soleil, l'un va-t-il croître très haut et l'autre végéter? »

Je murmure : « L'amour de la vie?

— Je pense que Jean-Daniel aime la vie, répond Martin; mais d'une autre façon que les autres, et, de ce fait, les autres lui sont étrangers.

— Nous ne lui étions pas étrangers, dit Gilles avec révolte. Nous aurions compris.

— Mais au lieu de vous en parler, se sentant coupable de ne pas vous ressembler, il accumulait les regrets, la colère. »

Martin s'interrompt : « Et il les a retournés contre lui. »

Mon mari prend son visage dans ses mains. Je crois qu'il pleure. C'est une douleur d'homme qui a planté son arbre et le voit dépérir; et il ne comprend pas; il s'était tant réjoui. Il croyait s'en être bien occupé : le terrain, la taille, l'engrais, l'amour. Je mets ma main dans la sienne.

« Et maintenant? demande-t-il.

— Physiquement, le problème est réglé, dit Martin. Il n'était pas allé très loin ni depuis très longtemps. C'est d'un manque moral, psychologique, qu'il va souffrir encore un moment. Jean-Daniel sait qu'une porte existe derrière laquelle, passagèrement, il a trouvé le soulagement. Le besoin d'ouvrir cette porte peut rendre terriblement malade et il faut une grande force pour y résister; à Beauvallon, on va essayer de l'aider à l'acquérir.

— Comment?

— Très simplement! En lui procurant d'autres formes de soulagement. En le faisant redescendre sur terre, d'abord! Pour y accomplir des besognes précises; il va se lever tôt, marcher, travailler la terre, tailler la vigne, couper le bois. Il va se rendre utile. Après cela, il appréciera la fraîcheur d'un verre d'eau, le pique-nique à l'ombre pris en commun, l'échange de nourriture et de paroles. Le soir, la fatigue le clouera au lit; s'il ne dort pas, il trouvera quelqu'un à ses côtés. »

Martin ajoute : « Ce sont des saints. »

Je ris : « Des saints? » Martin est croyant; il va à la messe. « Dieu, il paraît que c'est bien », m'a dit Laure.

« Qu'est-ce que cela veut dire : " des saints "?

— Quelques personnes qui savent se mettre réellement au service des autres, répond Martin.

— Mais après? Dans un mois? s'inquiète Gilles, quand il quittera Beauvallon?

— Peut-être aura-t-il une idée, une envie, un désir; peut-être aura-t-il appris à l'exprimer. »

Il vient maintenant s'asseoir auprès de nous.

« J'aimerais tant vous aider mieux, dit-il. Mais le problème de la drogue ne se règle pas en rédigeant une ordonnance : au contraire! Les calmants que certains prescrivent sont une autre sorte de drogue, créent une autre sorte de dépendance.

— Et un psychologue? demande Gilles avec difficulté.

116

— En ce qui concerne la toxicomanie, jusqu'ici, c'est l'échec. Croyez-moi : la terre, le travail des mains, l'échange...

— Cette maison d'Avignon, dis-je... cette retraite dont tu rêves tant, avec ton jardin, ton figuier... »

J'ai parlé avec agressivité. Il me regarde d'un air étonné : « Eh bien ?

— Tu as dit : " Il n'y a que ça de vrai ! " Et pourtant, depuis trente ans, qu'est-ce que tu vis ici ? Le contraire.

— C'est exact, acquiesce-t-il en souriant. Et nous sommes certainement des millions à prendre le chemin le plus long pour découvrir cette vérité-là : aucune couleur n'égale en profondeur celle d'un ciel, aucune chaleur ne conforte autant qu'un rayon de soleil, aucun chant ne vaut celui d'un oiseau et aucune odeur celles de la nature; rien n'est plus fort que ce sentiment fugitif qu'elle vous offre de vous désigner votre place dans l'univers; ainsi seulement on peut, parfois, accepter de mourir. »

Il passe son bras derrière mes épaules et me serre affectueusement contre lui : Martin, l'ami des bons et des mauvais jours, le véritable ami.

« Et pourtant, tu vois, Nadine, durant ces trente années... d'errance dont tu parlais, je n'ai pas été malheureux; ici aussi, à ma façon, je suis ancré. »

« Ancré! » C'est ce mot dont nous nous souviendrons. Dans ce monde qui nous satisfait à peu près, nous, Martin nous a expliqué que Jean-Daniel n'était pas ancré; il flottait : aucun but, aucun désir ne semblaient l'avoir arrimé. Fallait-il en rendre responsable notre société ? Un nombre croissant de jeunes semblaient n'y pas trouver les branches vives auxquelles s'accrocher et tentaient de déconnecter. C'était le désamour; c'était l'indifférence.

Et moi, je pensais à Denis qui réussissait si bien et avait tout lâché; je pensais à ce beau garçon blond que je croyais être étranger et qui faisait de si beaux dessins sur les murs des hôpitaux. J'entendais ces mots qui, depuis quelque temps, obscurcissaient mon univers : voyager... planer... décoller... se débrancher...

Gilles s'est levé.

« Okay, a-t-il dit. Alors, maintenant, dis-nous ce que nous pouvons faire. Comment l'aider à s'accrocher quelque part ? A quoi ? Que ferais-tu, toi ? »

Il avait parlé avec force : terminés les lamentations, les regrets; il était prêt à foncer. Je l'ai aimé vraiment à cet instant : sa confiance lui rendait la jeunesse. Pour trouver une ancre à son fils, il était prêt à partir n'importe où; il changerait de vie s'il le fallait; il laisserait tout ce qui faisait sa joie; il reconstruirait.

« Moi, je serais là, a dit Martin. Je l'aimerais. Je l'écouterais bien. »

21

« CHERS parents,

« Ici, pour dormir, je laisse ma fenêtre ouverte et, le matin, ce sont les odeurs qui m'éveillent. J'ai l'impression qu'elles montent du sol, vont à la rencontre les unes des autres, forment la matière de l'atmosphère, changent la couleur du ciel; elles font partie du paysage. Je suis certain qu'elles réveillent aussi les oiseaux, je me dis parfois qu'ils chantent à leur gloire; la vie, pour eux, c'est avant tout cela : des courants d'odeurs qu'ils traversent et qui leur transmettent les messages de la vie.

« Beauvallon est un vieux château que le propriétaire n'avait plus les moyens d'entretenir; alors il en a fait don à cette collectivité et il paraît qu'il vient de temps en temps voir comment ça se passe et goûter le vin nouveau.

« Il y a six prêtres et une dizaine d'" invités "; c'est ainsi que nous nous appelons. Les deux premiers jours, je n'ai pas été bien; le frère Charles s'est occupé de moi : un drôle de bonhomme tout tordu, très laid, qui ressemble à " Simplet ", l'un des nains de Blanche-Neige. Sa chambre se trouvé contre la mienne; il y mijote des infusions sur un réchaud et vous regarde les boire avec un sourire de magicien qui suit les effets de son philtre. Ses lèvres remuent tout le temps, même quand il ne vous parle pas; une fois, je lui ai demandé : " Vous parlez tout seul ? " Il a répondu : " Non ! Je LUI parle. " Et dans ce " lui ", il n'y avait pas seulement le Dieu auquel il croit, il y avait toute la vie, tantôt si intense, ouverte sur l'espoir, tantôt le contraire d'aimer : des tours sans fin sur soi-même dans ce jeu absurde que l'on n'a pas le pouvoir de faire cesser.

« Je suis hanté par une idée : dans la rue, je n'aurais jamais connu le frère Charles; sans doute l'aurais-je même évité. Dans la rue, passent tant de gens que l'on ne voit pas alors qu'ils sont nos frères.

« La règle est de se lever tôt : sept heures ! Pas de messe obligatoire, mais, le soir, avant le dîner, une réunion très brève dans la chapelle, pour la prière; ils disent que si on ne croit pas en Dieu, cela fait du bien de se laisser porter par les pensées positives des autres : ce que nous appelons, nous, les " vibrations ".

« Nous travaillons dur au jardin ou à la vigne. Nous cultivons tous les légumes que nous consommons et même en vendons au village voisin. Quand, à midi, nous nous arrêtons pour prendre le repas, c'est un bon moment. Nous parlons de ce que nous venons de faire, du temps et de ce que nous mangeons; c'est tout, c'est bien ! J'ai attrapé, les premiers jours, de sacrés coups de soleil; maintenant, je pèle. Le frère Charles est content : la nouvelle peau qui se prépare.

« Après le déjeuner, il fait trop chaud pour travailler et nous nous reposons ensemble. J'ai fait connaissance avec l'un des " invités " : un écrivain venu chercher le silence; il dit qu'il écrit mieux avec une main pleine d'ampoules pour avoir manié la bêche ou la hache et qu'après cela ses mots sont plus forts; qu'il en coule du miel et du sang. Vous l'aimeriez, je crois.

« Maman! Je ne sais si tu te souviens du petit bois, près de *La Maison*, là où, en septembre, on trouvait autour des arbres ces champignons dont le nom et l'aspect me faisaient si peur : les trompettes de la mort. Dans la poêle, elles perdaient beaucoup d'eau et tu disais : " C'est bien! Il n'en restera que l'essence : un peu de terre mêlée de mousse et de feuilles; un peu d'odeur de bois mouillé et beaucoup de mystère. " Tout cela, c'était la vie, et il me semblait qu'avec l'eau noire partait la mort contenue dans leur nom; d'ailleurs, tu disais aussi : " Quand tu les mangeras, pense fort à tout cela et tu mangeras la vie ".

« J'adorais t'entendre parler comme ça. C'était si vrai! Quand ici je mange du pain que nous faisons nous-mêmes, où quand je bois du vin, je pense au blé, aux ceps, au soleil très fort de midi, au vent qui a courbé les tiges, à la nuit qui a tout englouti, au jour qui revient quelle que soit la douleur; il y a tout cela dans ma bouche et j'ai le cœur serré.

« Hier, à la fenêtre, je regardais avant de dormir les arbres d'une forêt qui ressemble à notre petit bois et j'ai eu une curieuse impression, comme si entre *La Maison* et maintenant rien ne s'était vraiment passé : une sorte de parenthèse; il ne reste à sa fenêtre, devant les arbres de l'enfance, que ton petit garçon et pourtant, maman, cette eau noire fait partie des champignons; ils ne vivraient pas sans elle! Alors, la vie? La mort? Tout dépend peut-être du mot que l'on choisit de mettre en premier.

« Il est presque sept heures : le jour est là, un pétillement de soleil, déjà le concert, partout. Bientôt, la cloche va sonner pour le repas. Ces derniers mois, il m'était dur de m'éveiller; c'était à chaque fois un arrachement; cela va un peu mieux! Et puis, si je ne bouge pas, le frère Charles frappera à mon mur jusqu'à ce que j'ai répondu : " oui ". Un vrai " oui ", dit-il, " clamé ". J'ai l'air d'en rire mais ce " oui clamé ", parfois, il est diablement difficile à sortir.

« Je pense à vous; à papa qui doit avoir beaucoup de travail en ce moment; à toi, maman, à ma petite sœur " vif-argent ". Embrassez-la de ma part. Je ne sais comment vous dire, mais pardon !

« JEAN-DANIEL. »

22

PARDON... Ce jour-là — c'était en novembre dernier — je venais de rentrer à la maison et je l'avais trouvé dans le salon; il lisait. Non! Il faisait semblant de lire : une revue, je crois. Il m'attendait. Moi, j'étais invitée à dîner chez des amis et j'avais seulement trois quarts d'heure pour me préparer. Ma journée avait été fatigante; l'après-midi passé à discuter avec un chef de chantier misogyne qui refusait d'admettre qu'il avait mal fait son travail; j'étais épuisée; je me sentais sale; je m'étais réjouie du bain que je prendrais! dans l'eau tiède, les yeux fermés, ce passage en douceur d'un versant de la journée à l'autre. Et voilà que mon fils était là!

Je m'étais quand même assise un moment près de lui pour parler de choses et d'autres, mais l'esprit ailleurs, le regard sur ma montre. De « choses et d'autres »... Ses études de droit bien sûr; Anne-Marie, le « matériel ». « As-tu besoin de quelque chose? » Il avait besoin de mon temps, d'être écouté, et moi je parlais « argent, vêtements, papiers. » Ce soir-là, si j'étais restée avec lui, un vrai dialogue se serait peut-être instauré entre nous? Peut-être m'aurait-il laissée deviner la solitude où il se débattait.

D'ailleurs, ne m'avait-il pas tendu la perche? A ma question : « As-tu besoin de quelque chose », il avait répondu, je crois : « Je suis un peu patraque en ce moment! » Patraque... c'était le mot pour tout lorsqu'il était petit : ses camarades, en classe, l'avaient « patraqué »... ou un spectacle, un professeur, une déception, l'explosion d'un « petit gris » sur une pierre! Son « patraque », ce soir-là, c'était peut-être un S.O.S.! Il ne suivait plus ses cours de droit; il ne voyait plus Anne-Marie; il était déjà engagé sur le chemin qui allait le conduire, un jour de mai, à tomber inanimé sur le sol poussiéreux du Luxembourg.

Mais je pensais à mon bain, à la robe que j'allais mettre, au retour proche de Gilles. J'avais répondu sûrement : « Ça va passer! Ce n'est rien. Veux-tu un peu d'aspirine? » C'était fini. C'était raté.

Il avait pris de l'aspirine et, puisque je le lui avais proposé, il m'avait demandé aussi de l'argent pour payer je ne sais quoi. Pour payer je sais quoi... Me l'aurait-il demandé si nous avions parlé? Tout ce que j'avais dit, c'était pire que le silence : dans certains silences, on peut rêver d'être entendu.

Et je m'y étais plongée dans ce bain! Je l'avais enfilée, cette robe! Mais je me souvenais de ce malaise en moi : cette peur diffuse, voisine de celle que j'éprouvais dans le taxi qui me menait à l'hôpital : comme si je savais.

Et lorsque détendue, prête, belle, j'étais revenue au salon, il n'était plus là; il m'avait laissé un mot sur la table pour me souhaiter une bonne soirée.

J'ai appelé chez Anne-Marie pour lui dire que j'avais reçu une lettre mais personne ne répondait et je n'ai pas insisté : elle devait être à Londres; n'était-ce pas de cette date qu'elle m'avait parlé? Pour mon travail, c'était la folie! Presque trois semaines de retard à rattraper! Je prenais rendez-vous sur rendez-vous comme on court pour fuir un danger.

Nous avons aussi recommencé à sortir le soir : cinéma, restaurant, dîners chez des amis. Après, nous revenions le plus souvent à pied à la maison. J'aime marcher dans Paris au printemps, la nuit; il se passe en moi quelque chose de particulier : comme si dans le sol, attendries par le soleil, mes racines soudain revivaient. Je rejoins quelque part ceux qui étaient là avant moi et levaient leurs yeux vers le ciel, et laissaient courir leurs mains sur le mur de ces maisons, et regardaient couler la Seine. Ce que j'éprouve est à la fois intense et déchirant. Après ces promenades, il m'est difficile de m'endormir; il me semble manquer des rendez-vous.

Nos amis ignoraient ce qui était arrivé à Jean-Daniel, mais un jour où Ghislaine s'exaspérait de me voir la décommander une nouvelle fois, je lui avais crié que mon fils était malade. Cela s'était répandu; on nous en demandait des nouvelles. Gilles avait une façon parfaite d'éluder les questions : il parlait de dépression. Je parvenais à peu près à sourire et personne n'insistait.

Il y avait aussi Laure : son départ pour l'Irlande, début juillet. Nous avons été choisir ensemble le cadeau qu'elle offrirait à ses hôtes. Il m'a fallu également lui acheter des vêtements. Elle savait très précisément ce qu'elle voulait porter : la même chose que les autres. Elles se ressemblaient toutes un peu, ces presque jeunes filles; de la tête aux pieds, elles avaient un air de famille; comme cette façon irritante de dire « ouai », au lieu de « oui! » Mais, au fond de moi, j'en souriais; je savais bien pourquoi : avec les autres, Laure était au diapason.

Et puis, un soir, après une pendaison de crémaillère où Gilles, pris par un dîner avec des clients, m'avait laissée aller seule, à nouveau le monde a basculé.

Je ne crois pas au hasard! Ce n'est pas un hasard si une amie m'a demandé de la raccompagner chez elle et si elle habitait dans le quartier de Jean-Daniel. Ce n'est pas un hasard si, après l'avoir laissée devant sa porte, j'ai fait un détour pour passer sous les fenêtres de mon fils alors que depuis des jours j'évitais le secteur.

Trois jeunes se tenant par le bras marchaient au milieu de la rue, ignorant volontairement les voitures. Un collier d'ampoules de couleur éclairait la façade d'un restaurant étranger d'où filtrait une musique de guitare. J'ai ralenti au maximum et je me suis penchée pour regarder les deux fenêtres de Jean-Daniel. La dernière fois que j'étais venue, j'en avais tiré les volets; j'avais aussi fermé le compteur d'électricité.

Entre les fentes des volets, on voyait de la lumière.

23

LE cœur qui bat à la volée, la sueur froide, les jambes coupées, tous ces clichés sont exacts : c'est cela !

Un car à double étage — Paris by Night — klaxonnait derrière moi. C'est une autre femme qui a passé la première vitesse, cherché une place libre, su garer sa voiture. Moi je ne voulais plus voir, plus entendre, plus vivre. Cette lumière, là-haut, c'était trop !

J'ai appuyé mon front au volant. Qui ? De toutes mes forces, je luttais contre la réponse. Plusieurs jours s'étaient écoulés depuis que j'avais reçu la lettre de Jean-Daniel ; il avait eu tout le temps de se décourager et de revenir. Les « oui clamés », c'était du rêve : ça recommençait. Il n'en sortirait pas !

Gilles ! J'ai quitté la voiture. Tout me paraissait irréel : la douceur de cette nuit, le restaurant enrubanné et, du car arrêté plus haut, ces gens, surtout des femmes, surtout des vieilles, qui en coulaient et, le nez levé, regardaient le ciel de Paris comme s'il était différent du leur.

Il y avait une cabine téléphonique plus loin. J'y

suis allée. L'appareil avait été arraché : il ne restait que deux fils et des inscriptions ignobles partout : violence, bêtise. La haine me brûlait : ce refus de tout, pourquoi ?

C'était la fête dans le restaurant aux lumières. Toute la salle chantait en battant des mains, accompagnant un gros guitariste barbu. Les applaudissements m'ont escortée jusqu'au comptoir. Une femme d'une cinquantaine d'années, à l'épais chignon brun, largement décolletée, me regardait.

« J'ai besoin de téléphoner. »

Elle m'a montré les gens en liesse : « La cabine ne fonctionne pas. Vous n'entendrez pas grand-chose. » Elle avait l'accent espagnol. J'ai dit : « Je vous en prie ! » Elle a tourné l'appareil vers moi; j'avais de la peine à former le numéro. Je ne voyais que les deux fenêtres éclairées, là-haut.

« Il me semble qu'il n'y a personne », a remarqué la femme.

J'ai raccroché. Il n'était qu'un peu plus de onze heures et Gilles avait emmené ses clients à un souper-spectacle; il ne pouvait être rentré ! « Prenez un café. » L'Espagnole faisait glisser une tasse devant moi. La reconnaissance m'étouffait. « Dans la rue passent tant de gens que l'on ne voit pas alors qu'ils sont nos frères... » Je ne voulais pas monter chez Jean-Daniel; pourtant, je savais que je le ferais.

Sa porte n'était pas fermée à clef; je n'ai eu qu'à tourner la poignée. Devant mes pieds, au centre de la petite entrée, il y avait un sac de voyage ouvert; sur le lit sans matelas du studio, une veste en boule; une forme recroquevillée dans le fauteuil. Je me suis approchée. On y voyait très mal. Entre les bras repliés où était enfouie sa tête, j'ai distingué des cheveux blonds : Anne-Marie !

J'ai fermé les yeux, bouleversée par le soulagement. Ce n'était pas lui ! Lui était là-bas, à l'abri. Lui, tenait bon !

Des bras repliés est sorti un long soupir, comme si la jeune fille s'éveillait. J'ai touché son épaule.

« Tu m'as fait une belle peur ! Que fais-tu là ?

— J'ai rendu ma chambre. »

Elle avait parlé avec difficulté, sans presque bouger les lèvres. Il me semblait qu'elle avait du mal à s'éveiller.

« Rendu ta chambre ? Comment cela ?

— Le fric.

— Pourquoi ne nous as-tu pas demandé ? »

Sa tête est retombée dans ses bras. Je me suis accroupie et j'ai posé la main sur ses pieds nus; ils étaient glacés.

« Que se passe-t-il, Anne-Marie ? Tu es malade ? »

Elle a murmuré : « Non ! Ça va aller. » Je me suis relevée. Autour d'elle, l'odeur était très forte; comme si elle avait vomi. Je suis retournée près de la porte et j'ai allumé le plafonnier; elle a poussé un petit cri.

« J'ai si mal à la tête. Eteignez. »

Mais je revenais à elle : « Regarde-moi ! » Et comme elle n'obéissait pas, j'ai écarté ses bras.

« Un drogué, c'est d'abord deux yeux... » Les yeux d'Anne-Marie étaient bordés de rouge; ils larmoyaient; ils me fuyaient. Elle a répété : « Je vous en prie, éteignez, j'ai l'impression que ma tête va éclater... »

Je suis allée éteindre et, pendant un moment, je n'ai pas bougé, le doigt sur le bouton de l'électricité. Je n'éprouvais plus rien. Il y avait comme un grand blanc en moi. Elle a relevé son visage pour voir ce que je faisais; sans doute espérait-elle que j'étais repartie.

« Qu'as-tu pris ? »

Elle a dit plusieurs fois très vite : « rien », d'un ton désespéré, et elle s'est repliée sur elle-même.

« Où as-tu mal ?

— Au ventre. Mais ça va aller; ça va passer. »

Je suis allée décrocher le téléphone. Elle s'est redressée; il y avait de la panique dans son regard.

« Qui appelez-vous ?

— Un médecin.

— Mais non ! Ce n'est pas la peine.

— C'est un ami : tu n'as rien à craindre de lui. »

Cette fois, mon doigt était ferme sur le numéro. La sonnerie a retenti deux fois puis j'ai entendu la voix de Martin : il était absent momentanément. Après le « top » sonore on pouvait lui laisser un message. J'ai attendu le « top » et j'ai dit : « C'est Nadine, j'ai besoin de toi, appelle-moi dès que tu seras rentré », et j'ai donné le numéro.

Anne-Marie était retombée dans le fauteuil. Elle tremblait. J'ai fait le tour du studio sans rien trouver de suspect. Dans la petite cuisine, il y avait sur le gaz éteint une casserole avec un fond d'eau tiède. Je suis revenue dans la chambre. J'ai pris le couvre-lit et j'en ai recouvert les jambes de la jeune fille.

« Tu veux boire quelque chose de chaud ? »

Elle a secoué négativement la tête. J'ai tiré une chaise près de son fauteuil. Je l'entendais rire avec Laure, l'autre soir, si joyeuse, si enfantine. Le rire se désagrégeait, l'image. Avait-il jamais existé, ce voyage à Londres ? Etait-ce vraiment par hasard qu'elle avait rencontré ma fille ? Elle avait à nouveau fermé les yeux; ses joues étaient creusées, ses lèvres très blanches. Je cherchais en vain la pitié en moi; c'était comme si j'avais verrouillé une porte.

Elle a gémi et j'ai pris sa main. Sans ouvrir les yeux, elle a murmuré : « Jean-Daniel m'a écrit... c'est lui qui m'a dit que je pouvais venir ici. »

J'ai serré ses doigts : « Ne t'en fais pas. » Elle souffrait, je ne savais d'où, je ne savais de quoi; cela semblait venir par vagues et alors elle respirait brièvement, comme un chiot. Qu'aurait fait Gilles ? Appelé la police ? Ou bien l'aurait-il conduite à l'hôpital ? J'ai prié. « Vite, Martin... »

« Moi aussi, j'ai reçu une lettre de lui, ai-je dit. Ça a l'air d'aller. Il travaille beaucoup : la vigne, le potager, je ne sais quoi. Il parle aussi; il aime les gens avec qui il est ! »

Elle avait ouvert les yeux. Elle était toute tendue vers ma voix. « Et puis ? a-t-elle demandé.

— Et puis, en face de sa fenêtre, il y a un petit bois qui lui rappelle *La Maison*, tu sais, l'endroit où nous allions quand il était petit; il a dû t'en parler. »

Elle a répété : « *La Maison*. » Oui ! Cela lui disait quelque chose. « Et puis ?

— Il a pris des coups de soleil. Il a rencontré un écrivain... »

Je racontais ce qu'il m'en avait dit : le miel et le sang; et le frère Charles; et le pain qu'ils faisaient eux-mêmes. Ma voix paraissait l'apaiser. « Et puis, et puis... » disait-elle. Je la voyais sortant de l'eau, à Cannes, lorsque Jean-Daniel nous l'avait présentée, si fraîche, un peu trop ronde, naïve. Il en était fier. Il nous la montrait comme, enfant, il nous apportait, après des heures de recherche, un beau coquillage, un cèpe parfumé. Les larmes me sont montées aux yeux.

« Le vieux marin dont tu nous as parlé l'autre soir, tu sais, celui aux mains salées, j'y ai repensé... »

Il m'a semblé qu'elle riait : son corps était secoué mais c'était autre chose. « Je me suis dit qu'il n'y avait rien de plus beau qu'une main de vieux marin, ou de vieux paysan; malgré tout, c'est le résumé d'une vie réussie. »

Elle a fait « oui » de la tête. Elle ne tremblait plus. Il m'a semblé qu'elle s'endormait, mais elle ne dormait pas quand le téléphone a sonné. Elle m'a repoussée : « C'est pour moi. » Elle tentait de se lever. Je l'ai devancée et j'ai emporté l'appareil plus loin.

« Allô ! »

Il y a eu le bruit d'une pièce qui tombe.

« C'est Anne-Marie ? »

Voix masculine, jeune, lointaine. J'ai murmuré :
« Oui.

— J'arrive, a dit la voix. Maintenant ! Tiens bon ! »

On a raccroché. J'ai remis l'appareil à sa place.

Debout, agrippée au dossier du fauteuil, Anne-Marie me regardait; j'étais l'ennemie.

« C'était pour toi, ai-je dit. Quelqu'un va venir, maintenant ! »

Elle est retombée sur le siège et elle a fermé les yeux, comme soulagée.

J'ai demandé : « Qui ?

— Renaud », a-t-elle dit.

24

JE l'avais imaginé sale, laid, l'air fourbe. Son visage aux joues creusées était plutôt beau; rien à dire sur ses vêtements : un jeune comme les autres, comme mon fils.

Il est allé droit à Anne-Marie et il lui a glissé quelque chose entre les lèvres; puis il l'a fait boire avec patience, tendrement. Les dents de la jeune fille claquaient contre le verre; il l'encourageait : « Encore un peu, encore. » Quand elle a eu tout bu, il lui a longuement essuyé le visage avec son mouchoir : « Je te donne un quart d'heure pour avoir envie de danser. »

J'étais debout près du lit. Il ne pouvait ignorer ma présence. Il a attendu qu'Anne-Marie ait fermé les yeux pour se tourner vers moi. J'ai dit : « Je suis la mère de Jean-Daniel. »

Il a incliné la tête : « J'ai vu des photos. »

J'ai montré la jeune fille : « Que lui avez-vous donné?

— Un calmant.

— Qu'est-ce qu'elle avait?

— Le flip.

— Le flip? »

— L'angoisse. C'était la descente. »

Nous parlions bas, sans passion. Je ne reconnaissais pas ma voix. J'ai constaté : « Elle avait pris quelque chose, n'est-ce pas ?

— Ces cochonneries d'amphé ! » a-t-il dit.

Ces cochonneries d'amphé... Amphétamines ! C'était peut-être moins grave que ce que j'avais imaginé. Je me suis approchée.

« Je vous cherchais depuis le début.

— Quel début ?

— Le jour où on a ramassé mon fils. Vous avez appelé ses amis pour les avertir. Comment saviez-vous ce qui lui était arrivé ? Vous étiez là ? »

Il a sorti un paquet de tabac de sa poche et, tranquillement, il s'est roulé une cigarette. Je regardai ses mains. Je pensais volontiers que leurs mains trahissaient le caractère profond des gens et que des mains épaisses ne pouvaient appartenir à un être ayant quelque noblesse. Renaud avait de longs doigts adroits. Il a allumé sa cigarette.

« On avait rendez-vous au Luxembourg. " Petit gris " s'était shooté avant que je vienne. Je suis arrivé en même temps que les flics ; vous m'excuserez mais je n'ai pas jugé utile de me présenter. »

Je suis allée à la fenêtre. « Petit gris... » J'ai poussé les volets. Sur le balcon, il y avait plusieurs pots pleins d'une terre morte, craquelée, blanche, comme faite d'os séchés. Un bruit puissant de moteur a empli la rue, faisant trembler les vitres : le car qui repartait. J'ai imaginé un avion ; je me voyais y montant. Gilles était là ; je m'asseyais à ses côtés ; j'attachais ma ceinture.

« Il paraît que vous avez des questions à me poser ? » a dit Renaud derrière moi.

Je suis revenue dans le studio.

« Quand avez-vous connu Jean-Daniel ?

— Il y a deux ans. Je crois que nous manifestions mais je ne sais plus pourquoi. Un type plutôt sympa a proposé : " On dresse une barricade ? " C'était J. D.

— Une barricade ?

— Pour rire, a expliqué Renaud. On a mis trois cageots les uns sur les autres puis on a été boire un café. Peut-être bien tout de même une barricade contre le foutu devoir qu'on lui avait donné l'après-midi ; six pages de disserte sur un mot : " casserole " ! »

Anne-Marie a ouvert les yeux : son regard était plus clair ; elle nous regardait tantôt l'un, tantôt l'autre, retenant son souffle.

« Il m'avait parlé de ce devoir, ai-je dit, et nous en avions ri ensemble. On voulait leur apprendre à pouvoir s'exprimer longuement sur n'importe quoi !

— C'est cela, sur n'importe quoi, a répété Renaud. Jean-Daniel le prenait bien comme ça. Il m'a dit : « Surtout, ne le dis à personne mais j'aurais préféré disserter sur le mot " bonheur ". »

« Ne le dis à personne... » J'ai murmuré : « Il y a deux ans, Jean-Daniel était heureux !

— Qu'en savez-vous, madame ? »

Sa voix avait claqué ; son « madame » était méprisant.

A nouveau l'avion m'est apparu ; je me suis vue y montant ; Gilles m'attendait ; je me suis assise à côté de lui ; nous allions décoller.

« Ce soir-là, a dit Renaud. " Petit gris " m'a demandé si j'avais du hash.

— Cessez de l'appeler " Petit gris " ! »

J'avais crié. Mais les « petits gris », les « chagrinés », c'étaient ces coquilles brisées autour de la pierre, c'était cette voix anxieuse d'enfant : « Dis, maman, qu'est-ce qu'on peut faire pour les escargots ? »

Anne-Marie avait tout à fait sorti la tête de ses bras; elle se tenait droite et me regardait. « Voilà qu'on émerge ! », lui a dit Renaud. Il lui a caressé les cheveux; elle s'abandonnait à sa main. Un jour, elle m'avait dit qu'elle le connaissait à peine, c'était faux ! Qu'elle ne savait où le joindre, qu'elle ne l'aimait pas : faux ! faux !

Je suis revenue m'asseoir sur le bord du lit. Ils m'ont suivie du regard. Je me voyais par leurs yeux : une robe habillée, beaucoup de fard, des bijoux, une coiffure élaborée. Et après ? Qu'est-ce que cela changeait à la souffrance ?

« Ce hash, vous le lui avez donné ?

— Pourquoi pas ?

— Et... le reste ?

— Le reste aussi, a répondu Renaud. De toute façon, si ce n'était pas moi c'était un autre et, à moi, il faisait confiance.

— Confiance ? »

Mon cri a fait sursauter Anne-Marie. Elle a posé sa main sur le bras de son ami : « Laisse-la », a-t-elle supplié.

Il s'est dégagé : « Ce n'est pas moi qui suis allé la chercher ! Moi, je ne lui ai rien demandé. »

Il s'est levé. Je ne sais pourquoi il me détestait tant. Il est venu vers le lit et il m'a tendu ses mains réunies comme s'il me demandait de lui passer les menottes : « Pourquoi n'appelez-vous pas les flics ? »

Anne-Marie s'était levée aussi; elle est venue près de lui : « Ça suffit », a-t-elle dit.

Je me suis tournée vers elle. Elle paraissait tout à fait bien maintenant, solide sur ses pieds, comme l'autre soir à la maison.

« Tu nous as bien trompés », ai-je dit.

Son visage s'est crispé et elle s'est détournée.

« C'est pas elle qu'il faut accuser, a dit Renaud. Jean-Daniel l'a fait tourner il y a six mois. Mais elle ne vous le dira pas; elle vous aime bien.

— Tourner ?

— Il l'a initiée. »

Anne-Marie s'était éloignée. Je me suis levée et je l'ai rejointe; je l'ai obligée à me regarder.

« Est-ce que c'est vrai ? »

Elle n'a pas dit non.

« Et c'est pour cela que vous n'avez pas appelé les flics, a constaté Renaud. Vous savez bien que si vous me donnez, vous donnez le fiston avec. »

J'ai repris mon sac — un sac en matière dorée que je réserve aux réceptions habillées —, mon grand châle de fête, et j'ai quitté la pièce.

Le car était parti. L'avion aussi. Sans moi.

25

I<small>L</small> ouvre la porte immédiatement. Il ne dormait pas! Il est en court peignoir bleu, pieds nus. Il m'attrape par le poignet et me tire dans l'entrée. Je dis : « Aidez-moi! Aidez-moi. » Je m'abats contre lui. Nous restons un moment ainsi. Il m'a entourée de son bras.

Je sanglote. Comment ai-je pu tenir? Poser mes questions? Accepter les réponses de Renaud, regarder en face Anne-Marie. Toute la douleur contenue, l'horreur, le dégoût déferlent maintenant, viennent atterrir dans ce peignoir que je mords pour ne pas crier.

« Là... là... » dit-il.

Il m'entraîne dans une pièce, me porte presque jusqu'à un fauteuil, m'y installe , glisse un pouf sous mes pieds. « Ne vous échappez pas! Je reviens. » Il disparaît. Le rire se mêle à mes sanglots : « M'échapper? » Sous le bureau surchargé de papiers, une forme se déroule, s'ébroue : une grosse masse de poils vient se frotter à mes genoux; deux yeux mouillés m'interrogent. Ma main s'enfonce avec reconnaissance dans la toison : « Reste, toi, oh! reste. » Laffond réapparaît avec une bouteille. « Espérance! Tranquille! »... Le chien court à lui. « Avalez-moi ça! » Il glisse dans ma bouche un sucre imbibé d'alcool. « Pur, remarque-t-il, ça vous rétame votre homme. » Je veux bien le croire! Maintenant, il allume une cigarette. « Espérance » suit chacun de ses gestes en approuvant vigoureusement de la queue. Laffond vient s'asseoir en face de moi et, penché en avant, les yeux dans les miens, il dit : « Allez-y. »

J'y vais! Je raconte tout : la lumière là-haut, l'état dans lequel j'ai trouvé Anne-Marie, ce que Renaud m'a dit. Ah, je l'aurais bien cherchée, la vérité! Et, en même temps, comme je m'efforçais de la fuir! Il me fallait un coupable, mais surtout pas le bon, surtout pas Jean-Daniel, surtout pas moi!

« Cessez de chercher des coupables, dit Laffond d'une voix forte.

— Comment voulez-vous que je fasse autrement? »

J'ai crié. Mais j'en crève, moi, de culpabilité! Je n'ai rien su voir, je me suis bouché les yeux et les oreilles. Il n'y avait entre mon fils et moi aucun vrai dialogue, un langage creux, les mots de l'indifférence. Tout simplement je n'ai pas su aimer assez.

« Arrêtez, dit-il. Ecoutez-moi. »

Il me prend les mains et me regarde de toutes ses forces : « Vous ne pouviez pas vivre pour votre fils, pas respirer pour lui, pas aimer pour lui. S'il vous faut absolument un coupable, prenez la vie : la vie qui fait pencher les êtres d'un côté ou de l'autre, c'est tout. »

140

Je dis : « Cette vie, je la lui avais donnée. J'ai échoué à la lui faire aimer. Et il me lançait des S.O.S.; je les entends tous, maintenant !

— Après, on retrouve toujours des signes. On a toujours l'impression qu'on aurait pu empêcher le malheur. C'est faux ! Vous ne pouviez rien sentir. Votre fils était trop loin, dans un autre univers. N'oubliez pas que les toxicos vivent dans le monde du mensonge, de la dissimulation; ils ne peuvent pas faire autrement; et ils sont terriblement adroits à ce jeu. »

J'entends Jean-Daniel répondre à mes questions sur ses études; je me souviens du rire d'Anne-Marie, l'autre soir : « Dans un couple, avait dit Laffond, il est rare que l'un des deux reste blanc. » Savait-il ?

« Pour elle, vous étiez au courant, n'est-ce pas ? »

Il incline la tête.

« Et vous ne m'avez rien dit ?

— M'auriez-vous cru ? »

Je ferme les yeux. « Non ! » Autour de mes mains, ses mains sont chaudes, puissantes, rassurantes. Elles me tiennent au sol. Sans elles, je partirais, je ne sais pour où : le désespoir total.

« Un jour ou l'autre, il fallait bien que vous découvriez la vérité ! Je n'osais espérer que vous viendriez me trouver.

— Je ne voulais plus vous voir... Je vous détestais...

— Vous détestiez la vérité. »

Et il ajoute : « Ecoutez-moi bien. Ce soir, maintenant, vous êtes au fond. Vous ne descendrez pas plus bas. Nous allons pouvoir enfin commencer à faire du bon boulot ! »

Et curieusement ces mots me font un bien immense. On repart. Oui, on repart ! Je murmure : « oui » dans mes larmes. Il sourit : « Vous savez ce que vous êtes ? Un brave petit soldat ! » Il a lâché mes mains. Son chien le regarde ; quel amour dans ses yeux ! Qui est cet homme pour lui ? Une voix ? Une odeur ? Des doigts qui courent le long de son échine et y font passer des frissons, qui le brusquent sans lui faire mal. Je le regarde caresser son chien. Je suis fascinée par cette main. Je la voudrais sur moi. Toutes les vieilles idées que l'on dit périmées, les vieux clichés, je les éprouve jusqu'au vertige. J'ai envie d'être protégée par cet homme, assumée, prise en charge ; j'ai envie de m'appuyer sur lui, de me réfugier en lui.

« Je ne connais même pas votre prénom », dis-je.

Il sourit : « Rémi. » Je répète : « Rémi. »

« Il va falloir que vous m'aidiez, Rémi, vous comprenez ! Je vais devoir... changer... tout regarder autrement, chercher mon fils.

— Vous commencez déjà à vous rapprocher de lui. »

Il se lève et va prendre un nouveau sucre ; mais cette fois c'est pour Espérance. Je demande : « Pourquoi, ce nom ?

— Ma fille l'avait choisi. C'était son chien. »

Il montre la pièce : « Et c'était sa chambre. J'en ai fait mon bureau. »

Sa voix est rauque. Les mots passent difficilement.

Je regarde autour de moi : les « posters » aux murs, les abat-jour, les boîtes peintes, le couvre-lit au crochet, c'est elle! Les livres, les piles de journaux, les vêtements en vrac sur le couvre-lit, c'est lui! Et de ce mélange masculin-féminin naît la chaleur. Toute ma science, mes savants dosages de formes et de couleurs, n'auraient jamais réussi à donner cette vie : elle puise directement dans l'amour et le souvenir; on sent ici des gestes passés; des regards s'échangent encore. « Il y a des vibrations », dirait Jean-Daniel.

« Elle me traitait de sale flic et je la traitais de salle fille de flic, dit Laffond sourdement. Vous voyez, nous nous aimions bien!

— Que s'est-il passé?

— Un cancer. A cet âge-là, dix-huit ans, ça va comme la foudre. Elle adorait la vie. »

Dans sa voix, un immense regret! Il se détourne, marche le long des posteurs. Tous représentent, dans un décor romantique à souhait, de fragiles et ravissantes adolescentes à l'aspect irréel. Entre ces posters, une photo fixée par des punaises. Il se penche sur elle.

« Je n'avais pas beaucoup de temps à lui consacrer! Moi aussi j'en ai loupé, des S.O.S.! La culpabilité, j'en connais un bout, croyez-moi! »

Devant une maison, assise sur un banc de pierre, se tient une jeune fille à l'aspect ingrat, portant d'épaisses lunettes. Derrière elle, un poirier étend ses branches sur un vieux mur. Elle sourit de toutes ses forces.

« Après sa mort, je me suis porté candidat à la Brigade des stupéfiants. Je voulais montrer à ces petits cons que la vie vaut d'être vécue. Même si je n'en sors qu'un de la merde tous les six mois, ça vaut la peine. »

Il pose la main sur la photo, l'y laisse un moment appuyée puis l'en arrache. Il souffre.

Je me lève à mon tour. Mes jambes sont faibles et se dérobent. Il s'empare de mon coude : « Où allez-vous comme ça ? » J'allais à lui, à sa force, à sa douleur.

Un instant il me tient contre sa poitrine. Puis il s'écarte : « Laissez-moi vous raccompagner », dit-il.

26

UN restaurant chinois laqué rouge et noir; à peine de jour; une musique d'avion avant décollage; à une table ronde, Martin, Gilles et moi.

Cette nuit, je dormais quand mon mari est rentré. Au réveil, je lui ai raconté ce qui s'était passé dans le studio de notre fils : la lumière, Anne-Marie. Et aussi, lorsque je l'avais vue, le soulagement que j'avais éprouvé : ce n'était pas Jean-Daniel; il était sauf! « J'aurais réagi comme toi », a dit Gilles.

Martin a appelé très tôt. Après avoir entendu mon message, il avait couru là-bas. Anne-Marie s'y trouvait encore et il l'avait ramenée chez lui.

« Jean-Daniel me l'avait confiée, nous apprend-il. Secret professionnel oblige; je ne pouvais vous en parler mais je suis soulagé que vous sachiez. Tout va être plus facile maintenant. »

J'ai choisi des pâtés impériaux. On les sert tièdes, enveloppées de feuilles de menthe fraîche. Vous les prenez du bout des doigts et les trempez dans une sauce légèrement épicée.

« Sais-tu ce qu'elle avait pris hier? »

Martin se tourne vers moi : « Des amphétamines.

— J'ignorais qu'il s'agissait d'une drogue, intervient Gilles.

— Redoutable, dit Martin. Elle en a mené plus d'un au suicide. »

Trois hommes viennent de s'installer à la table voisine. L'un d'eux est gros, congestionné; tout de suite, il réclame du vin.

« Certains étudiants, nous explique Martin, s'habituent aux amphétamines en préparant leurs examens. Elles leur procurent une impression de force, de puissance, d'intelligence; et aussi la loquacité, l'euphorie... »

J'échange un regard avec mon mari : Anne-Marie, l'autre soir !

« Puis c'est la descente, les nausées, les maux de ventre, l'angoisse...

— Prenait-elle d'autres drogues ? » interroge Gilles.

Nous prononçons maintenant le mot sans mal. Nous sommes habitués. C'est à l'héroïne que Gilles pense et, à nouveau, c'est Jean-Daniel que nous voyons. Jusqu'où a-t-il entraîné son amie ? Martin incline la tête.

« Un peu de LSD. De l'héroïne aussi; mais pas en injection et, si elle me dit la vérité, pas depuis très longtemps. »

Les hors-d'œuvre sont terminés. Une jeune Chinoise, en robe de soie noire ornée de fleurs blanches, vient poser les plats suivants sur notre table : crevettes, canard, porc. Nous avons décidé de faire des mélanges.

« Donne ton assiette », ordonne Gilles.

Il prend son temps pour me servir et je sens que cela lui fait du bien de déposer sur cette assiette un peu de riz, un peu de viande, quelques crevettes. Est-ce ainsi que l'on renoue ? A l'aide de gestes quotidiens ? Comment allons-nous vivre maintenant, Gilles et moi, avec « l'avant » ? Dans « l'après » ? Peut-on rebâtir sur l'avant ou doit-on faire table rase ?

Soudain, j'ai envie de poser mon assiette et de partir, je ne sais où. Par fatigue ! Mais on peut aussi faire semblant de vivre : continuer sur une lancée quand bien même celle-ci est brisée. Tant s'y résignent !

« Qu'est-ce qu'elle va devenir ? demande Gilles à Martin.

— Elle souhaite rentrer chez ses parents à Dinan, dit celui-ci. Ce serait de loin la meilleure solution ; seulement, elle n'ose pas. Elle n'est pas en bons termes avec son père, je crois. J'ai proposé d'écrire : elle ne veut pas en entendre parler.

— Je l'accompagnerai », dis-je.

Gilles lève les yeux de son assiette, interloqué.

« Toi ?

— Je l'emmènerai en voiture. Dinan, ce n'est pas si loin. Cinq, six heures ? Comme ça, je pourrai voir ses parents. Si je sens que cela ne peut pas marcher, je la ramènerai. »

La hâte m'emplit ; je voudrais partir tout de suite. Je vois du granit rose et gris, des toits d'ardoise, une calme ville de province. J'entends des mouettes. La mer est tout près. Parfois, en Bretagne, le vent souffle si fort, il est tellement chargé d'odeurs qu'il vous vole vos pensées ; on ne songe plus qu'à lui résister. Je me laisserai emporter.

« Cela ne me paraît pas une mauvaise idée, acquiesce Martin. Mais ce sera plus difficile que tu ne penses.

— Pourquoi?

— Il faudra leur apprendre pour Anne-Marie! Sinon, ils ne pourront pas l'aider. Il faudra tout leur dire... avec l'assentiment de la petite.

— Cette petite, je m'en sens responsable, dis-je. Et au moins je vais pouvoir faire quelque chose. C'est de ne rien faire qui me tue. Il vous arrive un truc catastrophique et on est là, les bras ballants : on ne peut même pas crier, même pas se défendre! On a juste le droit de crever dans son coin en faisant semblant de continuer comme avant. »

Gilles a posé sa main sur la mienne. Je plonge mon regard dans mon assiette. Je n'ai jamais bien su manger avec des baguettes, ce n'est pas aujourd'hui que je progresserai!

« Et si je t'accompagnais? propose-t-il.

— Non! »

J'ai refusé trop fort. Je me reprends. Il faut qu'ils me fassent confiance pour mener Anne-Marie à bon port. Je dois aller là-bas.

« Je la convaincrai plus facilement si nous sommes seules, elle et moi.

— Sans doute, dit Martin, mais elle n'a pas encore accepté. »

Il nous explique que les parents d'Anne-Marie tiennent un salon de thé-pâtisserie dans le centre de la ville : de braves gens apparemment, mais la petite bourgeoisie étriquée de province... Ils ont une autre fille.

Les trois hommes de la table voisine ont déjà

vidé leur bouteille de vin; ils parlent fort. On dirait qu'ils cherchent à se convaincre, je ne sais de quoi. Mon regard croise celui de Martin. Je m'entends murmurer : « Loquacité, euphorie... sans amphétamines. » Il me sourit : « Comprends-tu mes envies de figuier ? »

J'ai dit : « Moi, ce sont des envies de mer, ça nettoie encore mieux. » Je ne voulais pas ajouter que nul ne s'est jamais noyé dans l'ombre d'un figuier et que la mer peut apparaître comme une délivrance; s'il n'y avait la peur de la souffrance, s'il suffisait de gueuler un grand « non » et de se laisser descendre...

Comme dessert, j'ai choisi des lechis frais. C'est toujours pour moi un émerveillement que de trouver, sous l'écorce, cette exquise délicatesse au parfum de rose. Ils parlaient maintenant de l'inspecteur Laffond que Martin avait rencontré au sujet d'Anne-Marie. Un homme très compréhensif, disait-il, très humain, et qui devait avoir vécu des moments difficiles; cela se voyait. Gilles acquiesçait, modérant son enthousiasme pour ne pas me blesser, moi qui lui avais dit ne plus vouloir revoir cet homme. Je n'avais pas envie de le détromper. Je les écoutais et je me promenais dans une chambre-bureau. Je voyais des « posters », une photo, une main caressant l'échine d'un chien appelé Espérance. Dans ma bouche, ce n'était plus un lechis mais un sucre imbibé d'alcool. J'ai fermé les yeux. Je n'étais plus seule. Il y a des moments qui vous tiennent compagnie. J'ai toujours été très adroite à les rechercher, m'y replonger; qu'on ne me dise pas que ce n'est pas la vie : tout est la vie : libre à chacun de faire son choix parmi les heures vécues ou à vivre. Une chaleur m'a envahie, moi qui, tout à l'heure, avais si froid. Quand je rentrerais à la maison, j'appellerais l'inspecteur Laffond et je lui raconterais ce que je me proposais de faire. Sans lui, ce qu'il m'avait dit hier, je n'aurais pas eu le courage de revoir Anne-Marie. « Nous allons pouvoir enfin commencer à faire du bon boulot. » Je la ramènerais chez elle. Je ferais ce que j'aurais tant souhaité que quelqu'un fît pour moi : avant qu'ils ne la retrouvent sur un lit d'hôpital, je parlerais à ses parents. Je les aiderais à comprendre. Difficile ? On verra.

Il m'écoutera sans m'interrompre. Quand j'aurai fini, il gardera un moment le silence. Il dira enfin : « Le brave petit soldat repart en guerre ; mais qu'il prenne garde à lui. »

Je ne pourrai m'empêcher de sourire.

27

« UNE des spécialités de la maison, c'étaient les galettes, raconte Anne-Marie. Il y en avait à tout : aux œufs, au fromage, au jambon, même aux saucisses... Quand j'étais née, mon père en avait baptisé une " la galette Anne-Marie ", et il paraît que ça ne manquait jamais : tout le monde la voulait. Il me disait : " Tu vois, tu es célèbre : quand les gens rentrent chez eux, ils disent : " Si vous passez par Dinan, ne manquez surtout pas la galette Anne-Marie, c'est la meilleure. " J'étais fière ! »

Elle appuie sa tête au dossier du siège, regarde la route devant elle. Nous venons de dépasser Alençon. Le jour mûrit, dore champs et bois, les fond en une même moisson.

« Mais il ne fallait pas transiger avec la règle. Quand on était en retard pour dîner, par exemple, mon père gueulait : " Viens-là ! " On devait s'approcher tout près, plus près, alors il ordonnait : " Regarde-moi ", et il nous donnait une tape sur les doigts ou sur la joue. Il ne frappait pas vraiment fort ; ce qui faisait mal, c'était de s'approcher, à le toucher, à toucher son pantalon et puis de le regarder en sachant ce qui allait arriver.

Parfois, on ne pouvait pas s'empêcher de ricaner, ma sœur et moi, et il se mettait en colère; il ne se rendait pas compte que c'était pour nous défendre. Et après, on allait cracher sur le bonhomme de bois qui portait le menu, à l'entrée du magasin; il avait une toque blanche lui aussi; on trouvait qu'il lui ressemblait. »

Elle fouille dans son sac à la recherche d'une cigarette; sa main tremble en l'allumant. Là-bas, sous un arbre, un troupeau est rassemblé en un cercle parfait; lumière sur la colline, champs bien dessinés, ciel pastel : on se croirait dans un livre d'images.

« Je ne veux pas dire qu'il était mauvais! Au fond, on l'aimait bien. Mais pour lui, ma sœur et moi on restait des gamines; il pouvait pas comprendre... et ma mère, elle disait " amen " à tout. »

Pré-en-Pail! Nom croustillant, odeur de pain, village dont on rêve au cœur des grandes villes, où l'on s'imagine assis à la terrasse d'un café, assistant dans la sérénité à la tombée d'un jour de plus. Une femme en blouse fleurie, tenant une fillette par la main, se dirige sans hâte vers l'épicerie; au bras de chacune se balance un panier. Anne-Marie se retourne pour les suivre des yeux.

« Maman tenait la caisse. Elle servait quand il y avait trop de monde, mais nous avions une employée. Ça leur aurait bien plu que je prenne la relève; seulement moi, la pâtisserie, j'en avais une indigestion; j'avais l'impression que même les murs de ma chambre étaient sucrés. »

Elle ferme les yeux, tire de longues bouffées de sa cigarette. Mes mains sont moites sur le volant. Je descends un peu plus la vitre.

« Mon amie, Solange, était montée à Paris apprendre la coiffure et elle m'avait écrit qu'on pouvait étudier le secrétariat tout en étant payé. Elle pouvait me loger. On s'est bagarré dur avec mon père. J'ai fini par lui dire que les " A quelle heure tu rentres ? ", les " Qui tu as vu ? ", les galettes Anne-Marie aussi, tout ça, je n'en pouvais plus. Il m'a répondu : " Fais ton choix ! Si tu t'en vas, c'est pour de bon. " Je suis quand même partie et voilà. »

Et voilà ! En quelques minutes, en une phrase maladroite à laquelle on ne croit même pas...

« Je peux mettre une cassette ?

— Choisis ! »

Elle prend la boîte sur ses genoux pour mieux lire les titres. Ce sont surtout des chansons. J'aime les chansons d'amour ! Mon côté « midinette » dont s'amuse Gilles. J'aime aussi les chansons du passé que de jeunes chanteurs remettent à l'honneur depuis quelques années. Elle en engage une. Guitare. « Nous n'irons plus au bois, les lauriers sont coupés. La belle que voilà, ira les ramasser... »

« Et à Paris, presque aussitôt, j'ai rencontré Jean-Daniel. »

Tout bêtement. Un soir au Quartier latin, devant une limonade. Un soir où il faisait beau comme aujourd'hui et où l'on s'aborde plus facilement parce que l'on se sent bien.

« Il était si... formidable, si différent ! Avec lui, on pouvait parler vraiment : de choses qui se trouvent dans le fond. Je n'avais pas l'habitude. Ça faisait du bien. Et puis il avait de ces idées... »

... se laisser enfermer, la nuit, dans les jardins

du Luxembourg... apprivoiser une statue... créer un journal dont les reporters auraient pour mission de ne glaner que les bonnes, les belles choses, les choses à s'enthousiasmer...

« Les journaux lui faisaient peur. Il disait : " Tu vois, Anne-Marie, ils sont pourtant écrits dans ma langue ! C'est pourtant ce qui se passe ici, maintenant, qu'ils racontent, mais je ne comprends pas. Rien de tout ce qu'ils disent ne s'adresse à moi : Fric, sexe, violence, guerre. " Il me demandait : " Anne-Marie, dis-moi, de quel pays je suis ? " »

Je sors de mon sac mes grosses lunettes noires. Le paysage flotte un moment. Anne-Marie fait descendre la vitre pour jeter sa cigarette et une odeur d'herbe coupée envahit la voiture. D'où vient cette nostalgie ? Quels moments de l'enfance cette odeur évoque-t-elle ? Quels bonheurs, qui s'effilochent lorsque j'essaie de les ressaisir ? « La belle que voilà, la laisserons-nous danser ? Et les lauriers du bois, les laisserons-nous faner ? »...

Un panneau indique « Abbaye ». On distingue un clocher dans le foisonnement d'arbres.

« Vous m'avez demandé si je l'aimais, dit Anne-Marie. Il me semblait que tout ce que je faisais, les gestes, et aussi les pensées, c'était pour lui. Mais j'avais si peur de le perdre... et il s'éloignait, il s'éloignait. »

Les larmes roulent sur ses joues. Elle se tourne vers moi : « Quand il n'était pas là, j'avais froid. Est-ce que vous comprenez cela ?

— Je comprends. »

Vraiment froid ! Deux bras, un regard, une voix. « Mon brave petit soldat. » Et si je n'étais pas brave? Si je n'avais qu'un désir : fermer les yeux, rendre les armes.

« Attention », dit Anne-Marie.

Deux cyclistes zigzaguent sur la route. Je freine. Ils font des signes et crient lorsque nous les dépassons. « Ils doivent avoir un verre dans le nez », remarque la jeune fille. Elle a allumé une nouvelle cigarette : « Si la cigale y dort, ne faut pas la blesser... »

« Je crois que c'est une question d'amour, dit-elle. Il ne savait pas le donner; il n'y arrivait pas, peut-être parce que les gens étaient trop différents. Lui voulait vraiment les aimer mais il ne réussissait qu'à leur faire peur.

— Tais-toi! »

Je veux bien qu'elle me parle de drogue, de seringue, de sang, de violence, mais pas d'amour. Pas d'amour non partagé, retenu, mortel. « Le chant du rossignol viendra la réveiller et aussi la fauvette avec son doux gosier... »

J'arrête la voiture sur le bas-côté. Je sors. La chaleur monte du sol. Tout le paysage craque, bruit, pétille, vit. Je marche un moment, droit devant : un pas, puis un pas, un autre encore. Sans doute est-ce cela, le courage. Anne-Marie me rejoint. « Je ne voulais pas vous faire de peine.

— Est-ce qu'il te parlait de nous? »

Elle ne répond pas tout de suite. Elle marche à mes côtés, le regard sur le sol. « Dis-moi, Anne-Marie, j'ai besoin de savoir.

— Il vous aimait beaucoup. Mais en même temps, on avait l'impression que ça lui faisait mal. »

Un pas, encore un, encore. Dans la brume du

soir, là-bas, c'est Dol-de-Bretagne. La mer est proche : on croit la sentir dans la brise.

« C'était de nous aimer de loin, dis-je. Et sans que l'on s'entende vraiment. »

Nous nous sommes assises un moment sur une butte d'herbe et de terre. Je n'avais pas refermé ma portière et l'on entendait la musique. « Cigale ô ma cigale, allons il faut chanter, car les lauriers du bois ont déjà repoussé. » Les enfants faisaient-ils toujours des rondes dans les jardins ? Lorsque, nous tenant les mains, nous tournions en chantant la cigale, le furet ou le rossignol, nous participions sans le savoir au mouvement universel. Mais parfois, au centre de la ronde, on isolait un enfant. Il n'avait plus le droit de chanter. Il arrivait qu'on lui bandât les yeux. Lauriers, rossignol, fauvette, ne le concernaient plus. S'il tentait de rentrer dans la danse, on se serrait bien fort les mains, on tournait plus vite pour l'en empêcher. Je ne me souviens pas de la règle du jeu, comment était choisi celui qu'on excluait ni la façon dont ce jeu s'achevait; mais très souvent l'enfant isolé pleurait et le plaisir d'être de la ronde, et de tourner, tourner et tourner, en était comme accentué.

28

Non! Elle ne veut plus y aller. Elle ne peut plus. D'ailleurs, elle n'a jamais voulu : on l'a poussée, influencée; on ne l'a pas laissée réfléchir. Et de toute façon ils ne voudront pas d'elle : son père le lui a dit : « Terminé! » Alors, en plus, dans l'état où elle est! Son père si attaché aux principes, à sa réputation. Et puis qu'est-ce qu'elle lui dira? « Me voilà? Je suis malade, camée, sans un? » Sa mère, autant la tuer tout de suite. Et même! Même si par miracle, bonté d'âme, pitié, ils l'acceptaient, comment vivra-t-elle maintenant? Derrière la caisse? En rendant compte de son emploi du temps? En demandant la permission? Non! Martin lui a bourré le crâne. Il ne sait pas comment ça se passe, là-bas. Qu'il vienne y voir un peu! Si un soir vous éteignez un quart d'heure plus tard qu'à l'accoutumée, toute la rue est en ébullition. Et puis il ne faut pas exagérer! Elle n'a jamais été si mal que ça. Des vraiment accrochés, elle en a connu. Elle, ça va. C'est fini. Elle va reprendre son secrétariat, l'anglais. Ça va même très bien. C'était juste un mauvais passage. Ce n'est pas en revenant ici qu'elle arrivera à quelque chose...

« Et tu crois qu'en restant à Paris... Avec Renaud... avec les autres ? Tu crois que tu t'en tireras ? Allons... »

Elle ne répond pas. Elle me regarde comme ils m'ont regardée, un après-midi, au *Pierrot lunaire.* Je suis l'ennemie, celle qui ne pourra jamais comprendre. Ça a commencé vers Saint-Hilaire. Les murs des maisons blanchissaient; autour des portes d'entrée, on commençait à voir du granit; sur les toits, c'étaient des ardoises; et dans les jardins, les boules des hortensias. La campagne se mettait à l'unisson : genêt au bord des routes, « moignons » dans les prés. Bretagne ! Il y a d'abord eu quelques phrases : « Vers quelle heure pensez-vous qu'on y sera ? » Et : « Mes parents, vous savez, à huit heures, on boucle tout ! A neuf, on dort. » Mains et visage crispés. Devant les paysages connus, la montée des souvenirs, la peur de tout retrouver pour tout reperdre à nouveau.

« Ramenez-moi à Paris ! »

Elle cache son visage dans ses mains. Là-bas, de l'autre côté du pont, c'est Dinan. Le salon de thé se trouve dans la vieille ville, derrière ces remparts. Elle a grandi près de ces tours; même si elle ne pensait plus à la regarder, la Rance baignait son quotidien; elle coule pour toujours en elle, ainsi que, pour moi, la Seine. Nous en sommes imprégnées, comme de sel les mains du vieux marin.

« De toute façon, je n'irai pas. Vous ne pouvez pas me forcer. Personne ne peut me forcer. »

Nous sommes arrêtées à un feu; elle a la main sur la poignée de la portière; j'ai peur qu'elle ne se sauve.

« Ecoute... C'est moi qui vais aller leur parler. Toi, tu m'attendras dans la voiture.

— Ils ne voudront pas vous écouter. Dès qu'ils sauront qu'il s'agit de moi... Je vous ai dit comment était mon père.

— S'ils ne veulent pas m'écouter, on rentre. Tout de suite. Tu ne les verras même pas. »

Elle me regarde, tentée peut-être. Je supplie : « Anne-Marie, pour moi aussi c'est important, tu comprends ? Te ramener chez toi, c'est un peu retrouver Jean-Daniel.

— Est-ce qu'on ne pourrait pas attendre à demain ? » murmure-t-elle.

Nous avons pris une chambre d'hôtel. Elle en a tout de suite tiré les rideaux et, dans la salle à manger, elle a choisi le coin le plus éloigné de la fenêtre. Pendant le dîner, j'ai réussi à la faire parler, mais nous n'avons plus abordé le sujet de ses parents : comme une enfant, ayant repoussé l'échéance, elle se laissait aller au soulagement immédiat : on verrait demain. Elle a pris docilement les tranquillisants que lui avait ordonnés Martin.

Dans la chambre, en chemise de nuit, elle s'est longuement regardée dans la glace. Ainsi que le font certaines femmes vieillissantes, elle a tiré la peau sous ses yeux et, du bout des doigts, effacé les rides. « Est-ce que vous trouvez que j'ai beaucoup changé ? » Cela voulait dire : « Me reconnaîtront-ils ? » Elle avait perdu sa natte, ses joues, son sourire et la lumière de son regard. J'ai assuré : « Un peu d'air breton, quelques galettes Anne-Marie, deux ou trois parties de domino et le tour sera joué. » Elle n'a pas répondu.

Lorsqu'elle a été endormie, je suis descendue à la réception consulter les annuaires. J'y ai trouvé sans peine le salon de thé-pâtisserie de M. Delau. Le gardien de nuit, un jeune homme étranger venu chercher refuge en France, m'a indiqué le chemin. Il semblait désireux d'engager la conversation; il m'a dit du bien de mon pays; qu'il était libre, qu'il y faisait bon vivre et que chaque matin, ouvrant les yeux, il avait envie de dire « merci ».

Je suis montée à pied vers la vieille ville. Nous étions dans les jours les plus longs. Très bientôt, ils diminueraient et ce serait juillet. Juillet! De chaque côté de la rue pavée, creusée en son centre d'un fin sillon pour l'écoulement des eaux, se pressaient des maisons à colombages. Granit clair, bois et ardoise formaient un mouvement à la fois ancré et léger; tout y était tant pour le corps que pour l'esprit. La part d'amour qui, autrefois, entrait toujours dans la construction d'une maison continuait à en faire la beauté, même si par endroits apparaissaient des signes de décrépitude; cet élan profond, irrésistible, provoqué par la beauté, la musique aussi vous l'apportait, certaines phrases d'un livre. Voilà ce qui m'avait ancrée, « branchée », ce qui me fixait à ma planète; les voilà, mes voyages!

Le salon de thé se trouvait au bout de la rue. Aucune lumière, même à l'étage. Près de la porte, fixé au mur par une chaîne, se dressait le bonhomme de bois à toque blanche. D'une taille à peu près normale, il avait deux yeux ronds sous des sourcis broussailleux, une bouche écarlate. Je me suis penchée sur le menu inscrit sur le devant de son tablier : « Spécialité de galettes ». La galette Anne-Marie s'y trouvait toujours; c'était la mieux garnie.

La nuit était maintenant là. En redescendant vers l'hôtel, j'ai eu soudain envie de partir, tout laisser derrière moi, recommencer. Mais je savais que cela ne changerait rien : j'étais une « grande personne ».

A sept heures, je me suis levée sans bruit. Anne-Marie était encore profondément endormie; je suis descendue et j'ai appelé le salon de thé. Une voix de femme m'a répondu : « Je voudrais venir vous parler d'Anne-Marie », ai-je dit.

Il y a eu un silence. « Qui est-ce? Qu'est-ce qui se passe? » a demandé un homme plus loin. L'appareil a changé de main. « C'est de la part de qui? »

J'ai dit : « Vous ne me connaissez pas, monsieur. Je suis une amie de votre fille. C'est important! »

Il n'a pas répondu tout de suite. Je voyais le bonhomme de bois, devant le restaurant, sur lequel crachaient deux petites filles.

« Venez », a-t-il dit.

29

Un jour d'été, j'avais dix ans et je me trouvais avec ma famille dans le grand salon ensoleillé à la campagne; c'était les vacances, les cousins, les baignades dans la rivière, la recherche des champignons, la maison dans l'arbre... un jour d'été à l'heure du café, la porte s'était ouverte sur un gendarme et un inconnu.

D'un même mouvement, tout le monde s'était levé. Moi, j'avais posé ma main sur le piano et je regardais très vite ce qui m'entourait : les meubles, les tableaux, les gens, le grand jeu de jacquet, les photos, l'ouvrage de ma grand-mère resté sur le fauteuil, et je comptais chaque chose, chaque personne, comme si elles allaient m'être retirées. Le gendarme avait expliqué qu'une de mes cousines, Annie, partie le matin à bicyclette, venait d'être renversée par le camion de l'homme qui se trouvait près de lui et qui était si pâle. Annie était à l'hôpital, dans un état grave.

« Elle est morte, n'est-ce pas? » avait demandé sa mère. L'homme avait incliné la tête. Je regardais les joues de ma tante, attendant les larmes; de toutes mes forces j'appelais les cris, les sanglots, plutôt que ce silence, mais tout simplement ses genoux avaient ployé et elle était tombée sur le sol dans sa tenue de tennis toute blanche.

J'étais assise dans le salon de thé, en face d'un homme et d'une femme à qui je venais d'apprendre que leur fille se droguait et je les regardais tomber. Plus jamais le salon de ma grand-mère n'avait été le même : les objets avaient perdu leur transparence; ils avaient vieilli. Plus jamais les parents d'Anne-Marie ne regarderaient de pareille façon ce décor à la fois coquet et feutré, ces tables bien disposées, ces nappes et ces lampes assorties. La frontière entre « avant » et « après » se situerait ce matin, tracée par mes mots.

Il a dit à sa femme : « Va donc nous faire un peu de café. » Elle s'est levée et elle est passée derrière le comptoir. Il a sorti un mouchoir de sa poche pour s'essuyer le front, le cou. Il avait une bonne et large figure, un regard clair de Breton. De son poing fermé, il a frappé plusieurs coups sur la table : « Je retrouverai les salauds qui l'ont entraînée; ils vont avoir affaire à moi !

— Il n'y a pas forcément de salauds », ai-je dit.

Il m'a regardée d'un air mauvais : « Je connaissais ma fille ! Jamais elle n'aurait touché à ces saletés ! Un verre de cidre, ça l'effarouchait. Et elle n'avait pas besoin de ça ! »

J'ai murmuré : « Elle a pourtant dit " oui ".

— Si elle a dit " oui ", c'est qu'on lui en avait proposé; et elle ne savait pas... elle débarquait. C'est ça ! Elle ne savait même pas ce que c'était. »

Il criait son indignation, sa peur. Moi aussi j'avais lutté et en le regardant je me demandais si l'on pouvait s'aider ou si chacun devait faire tout seul le chemin pour arriver à la vérité. Mais, de toute façon, je ne pouvais plus reculer. J'ai rassemblé mon courage. Le « petit soldat » n'avait pas prévu qu'il lui faudrait aller si loin.

« Quelqu'un qu'elle aimait en utilisait. Elle a voulu le suivre, c'est tout.

— Quelqu'un qu'elle aimait ? »

Je l'ai regardé dans les yeux.

« Mon fils. »

Il est resté la bouche ouverte, le souffle coupé. Dans son regard, je me voyais devenir autre ; à la fois plus proche puisque mon fils aussi... mais également la mère du « coupable ».

« Pourquoi ? »

Pourquoi Anne-Marie ? Pourquoi Jean-Daniel ? De toute façon, c'était la même réponse.

« La solitude. »

Il m'a regardée comme si je l'accusais : « Ce n'est pas nous qui l'avons obligée à partir. C'est elle qui a voulu. Elle avait tout ici ! »

J'ai entendu la voix de Laffond : « Ni salauds ni coupables. » Aujourd'hui, retraçant pour cet homme les moments passés, j'acceptais. Et, en un sens, je me sentais vaincue.

« Oui ! C'est elle qui a voulu partir et vous ne pouviez pas l'en empêcher. Vous n'êtes pour rien dans ce qui est arrivé ; mais maintenant elle a besoin de vous. »

Il a secoué négativement la tête. Sa femme revenait portant un plateau avec trois tasses de café. Elle les a posées devant nous. Ses yeux étaient rouges. Anne-Marie avait un peu ce regard.

164

« Qu'est-ce qu'on peut faire? a-t-elle demandé d'une voix tremblante.

— Lui ouvrir votre porte. Ne pas lui poser de questions, l'écouter, l'aimer. C'est tout.

— Et aussi lui demander pardon pendant qu'on y est? » a demandé l'homme avec violence.

Il s'est levé. D'un geste large, il a montré la salle, le beau bar de bois ciré, les poutres apparentes, les lustres neufs, son effort, sa réussite.

« De toute façon, ça ne lui plaisait plus ici! Mademoiselle avait besoin d'autre chose!

— Ici, tout lui avait été donné. C'était normal qu'elle veuille porter ses yeux ailleurs. »

Il a ri longuement, tristement, comme s'il s'était donné du mal pour rien.

« Et nous? Vous croyez qu'on a eu le temps de " porter les yeux ailleurs "? Nous, on devait travailler, se débrouiller. Il y avait les traites à payer. Il fallait bouffer, madame, tout simplement.

— Vous avez eu de la chance, ai-je dit. Même si c'était dur vous aviez ce but et il vous tenait. Quand vous vous leviez, le matin, vous saviez pourquoi. Et pour qui aussi. C'est cela, le bonheur. »

Il est revenu vers la table et il a vidé sa tasse de café d'un trait, comme par défi. Sa femme me regardait; je la sentais de mon côté. Alors pourquoi ne disait-elle rien? Moi, j'aurais crié : « Où est-elle? » J'aurais couru. Je l'aurais serrée dans mes bras. Moi, mon fils avait refusé de me voir.

J'ai dit : « Je travaille. J'essaie comme vous de réussir quelque chose et cela me tire en avant; sinon, je ne sais pas bien comment je vivrais.

Depuis ce qui est arrivé, je m'interroge beaucoup sur les jeunes. On dirait que certains ne sont intéressés par rien, que ce qui nous tire, nous, eux cela les laisse en plan. On dirait qu'ils n'ont rien à viser et qu'ils sont découragés d'avance; souvent, j'ai mal pour eux. »

Il m'avait tourné le dos mais je savais qu'il écoutait parce qu'il ne cessait de hausser les épaules. La mère d'Anne-Marie avait pris sa tête dans ses mains; elles étaient rouges et abîmées; on voyait que c'était elle qui était chargée des galettes. J'ai sorti la photo de mon sac. En la prenant, cette nuit, dans les affaires d'Anne-Marie, j'obéissais à une sorte de réflexe; je le comprenais ce matin : c'étaient mes dernières munitions. Cet homme têtu qui exigeait de sa fillette qu'elle s'avance jusqu'à lui, « jusqu'à toucher son pantalon », pour la punir lorsque, selon lui, elle avait mal agi, ne ferait pas le premier pas; il n'irait pas la chercher. Et elle ne viendrait pas non plus; elle n'en aurait jamais le courage; alors je la lui avais amenée.

Il a pris le cliché du bout des doigts. Il le regardait d'un air incrédule. Oui, c'était bien lui, sur le seuil du salon de thé, avec sa toque de cuisinier, la main sur l'épaule d'une petite fille prénommée Anne-Marie.

« Elle emportait cette photo partout, ai-je dit. Vous ne la quittiez pas. »

Il l'a laissée tomber sur la table et s'est détourné. Je me suis levée à mon tour. « Bientôt, mon fils aussi va revenir et j'ai peur. Je ne sais pas ce que je lui dirai; mais je sais que s'il ne rentrait pas, ce serait pire que tout. »

166

J'ai remis ma veste. J'avais fini. C'était à eux de décider maintenant. Et puis, je n'étais plus sûre de rien. En venant ici, j'avais fait un pari sans doute perdu d'avance : celui que l'on peut encore, à quarante ans et plus, accepter de regarder le monde autrement.

« Est-ce qu'elle a beaucoup changé ? »

C'était la mère d'Anne-Marie qui avait posé la question. La photo tremblait entre ses mains. J'ai répondu : « Elle a surtout besoin de se remplumer sérieusement. » Elle s'est tournée vers son mari et l'a appelé du regard. « Ici, elle se plaignait d'être à l'engrais, a-t-elle dit sans le quitter des yeux. Ça ne devrait pas poser trop de problèmes. »

Ils se sont fixés un moment sans parler, puis il a regardé sa montre : « Sais-tu quelle heure il est ?

— Je viens d'entendre sonner huit heures », a-t-elle répondu.

Il nous a tourné le dos. J'ai cru qu'il s'en allait, mais non ! Il ouvrait les fenêtres, poussait les volets, relevait le rideau de fer. Après l'obscurité de la pièce, ces poutres sombres, cette décoration un peu lourde, ces nappes et tentures rouges, ce qui frappait surtout c'était la jeunesse du jour, sa légèreté de nacre, une transparence. Sur le balcon de la maison voisine, une femme en robe de chambre arrosait ses plantes sans se soucier de l'eau qui gouttait sur le bonhomme de bois, courant le long du visage peint.

« Voilà que tu me fais encore pleurer », a protesté Delau.

Elle a ri : « C'est pour te conserver tes couleurs. »

Comme chaque matin, je suppose, le père d'Anne-Marie a pris le mannequin à plein bras et l'a placé devant sa boutique; la chaîne tintait sur le trottoir. Il a regardé autour de lui, la rue qui s'éveillait, le temps, puis il a levé les yeux vers la femme.

« Figure-toi que ma fille est rentrée », a-t-il dit.

30

« Paris, le 21 juin.

LORSQU'ELLE a vu apparaître son père, elle a poussé un petit cri et, ainsi qu'une enfant, elle a caché sa tête sous l'édredon. Il est allé jusqu'au lit; il a tendu la main comme pour la découvrir, puis il a changé d'avis. Il a regardé autour de lui et déclaré que si quelqu'un lui avait raconté qu'il viendrait un matin visiter sa fille à l'hôtel, à cinq cents mètres de chez lui, il aurait crié : " Au fou ! " D'ailleurs, c'était la première fois qu'il mettait les pieds dans une chambre d'hôtel à Dinan !

« Les salles à manger, oui, il en connaissait des paquets pour être allé aider aux cuisines à l'occasion de banquets; mais les chambres, non ! Puisqu'il parlait des banquets, Anne-Marie n'était sans doute pas au courant, mais il y en avait de plus en plus : communions, mariages, noces de ceci ou de cela, ça n'arrêtait pas et il ne savait plus où donner de la tête; sans compter la mère d'Anne-Marie qui, pour arranger les choses, arrivait à l'âge des bouffées et suffoquait tant au-dessus de ses plaques à galettes qu'il avait dû lui installer un ventilateur.

« Cela ne bougeait pas beaucoup sous l'édredon. Il s'est approché un peu plus. Lorsqu'il était gamin, on ne lui avait pas demandé son avis pour le mettre aux fourneaux et depuis l'âge de quinze ans il ne les avait quasiment pas quittés; non qu'il raconte ça pour se plaindre mais c'était des choses à savoir : la vie est envahissante; on n'a pas toujours le temps de se regarder comme il faudrait et la toque, bien qu'elle ne couvre pas les oreilles, c'est possible qu'elle empêche d'entendre...

« En tout cas, il y en avait un qui ne se laissait pas oublier, c'était César, l'oiseau qu'Anne-Marie leur avait laissé sans doute pour qu'il continue à les réveiller dès potron-minet et à les empêcher de dormir le soir avec ses sarabandes. Son César, il avait bien failli vingt fois lui ouvrir la porte de la liberté parce que lui aussi, pourquoi pas ?, devait aspirer à autre chose, de " l'ailleurs " ou de " l'autrement ". S'il s'était retenu de le faire, c'était seulement parce qu'il savait qu'après trois coups d'ailes, l'oiseau aurait été bouffé et que bien qu'il leur gâchât la vie il s'était habitué à le voir. Quoi qu'il en soit, elle pourrait constater qu'il ne dépérissait pas et si aujourd'hui il lui ouvrait sa cage, il n'était même plus certain qu'il en profiterait.

« Le duvet a bougé. Il est descendu au ras de deux yeux qui se sont vite fermés, et lui, maintenant, ce n'était plus à l'édredon qu'il s'adressait mais aux fleurs, sur le mur, un peu au-dessus de la tête de sa fille.

... « A la maison, ils avaient fait des transformations. Par exemple le petit couloir d'où, avec sa sœur, pour le seconder dans son métier et attirer les clients, elles leur faisaient leur fameux " pied de nez louché-bouche tordue ", eh bien, terminé pour les grimaces : il avait abattu la cloison; deux tables de plus à servir !

« S'il y en avait une qui n'avait pas froid aux yeux, c'était Mme Legendre. Cette bonne femme était venue un beau jour demander qu'il lui loue une chambre pour sa nièce : une chambre ! Comme s'il en avait à revendre ! Comme s'il avait le temps, lui, de vider les armoires, déménager les bouquins, les boîtes, les coquillages, tout le sacré bordel qu'Anne-Marie avait entassé depuis dix-huit ans, sans compter les fèves des galettes des rois qu'elle conservait comme si plus personne ne la nommerait reine. Ah, il te les avait envoyées paître, Mme Legendre et sa nièce ! On ne les avait plus revues depuis. Deux emmerdeuses de moins.

« Il s'est assis sur le bord du lit et, du bout des doigts, mine de rien, il a baissé un peu l'édredon... C'était bien ce qu'il pensait ! Anne-Marie avait pris ses précautions : elle avait coupé sa natte et il ne pourrait plus la lui tirer ! Mais il préférait ça à la dernière invention de sa sœur. Qu'elle s'apprête à avoir une surprise : ce n'était pas une natte qu'avait Corinne mais dix ou quinze, comme les sauvages, avec des perles tout du long pour que ça se remarque plus. Mais à part la coiffure et le clébard pêché dans la poubelle qui couchait dans son lit et faisait des ravages dans la chipolata, rien à dire ! Elle était dans les bonnes de sa classe et si elle se retirait de la tête que Paris était une ville-paradis où sa grande sœur menait grande vie, ça devrait pouvoir aller à peu près.

« C'est aux mots " Paris-ville paradis " qu'Anne-Marie a commencé à rire. Je ne savais pas qu'on pouvait rire si fort en pleurant. Elle ne pouvait plus s'arrêter; elle se tordait de douleur et lui, il essayait de la calmer, mais comme il était emporté aussi il n'y parvenait pas. Ils ne m'ont même pas vue sortir.

« J'ai repensé, mon chéri, à ce que tu me dis dans ta lettre sur les " trompettes de la mort ". Que pour toi, dans ton enfance, l'eau noire qui en sortait à la cuisson représentait la mort, et la chair, la vie. Mais souviens-toi! Cette eau, nous ne la jetions pas. Une partie s'évaporait. Dans ce qu'il en restait, nous mêlions des herbes, de l'échalote, de la crème parfois, un peu tout ce qui nous tombait sous la main. Cette eau, dont la couleur te faisait peur, rehaussait le goût du champignon : elle en faisait partie. La mort fait partie de la vie puisqu'elle est au bout de toute vie; quand parfois on l'accepte, les heures en semblent plus précieuses. Tout ce que l'on fait pour n'y pas trop penser, c'est peut-être comme ces ingrédients que nous rajoutions dans la poêle avec les trompettes de la mort. Tu vois, je ne m'étais jamais formulé clairement tout cela; c'est grâce à toi.

« Je rêve de retourner au petit matin dans la forêt avec toi pour rechercher comme avant les champignons noirs. On les trouve, si je m'en souviens bien, surtout aux pieds des arbres, en colonies serrées. Est-il possible que tant d'années

172

aient passé depuis nos promenades ? Je nous vois comme si c'était maintenant revenir sans hâte vers la maison. C'est beau aussi le moment où l'on retourne le panier sur la table pour trier le bon du mauvais : brins de mousse, restes de feuilles… Et quelles odeurs ! Tu m'aideras à les cuisiner. Nous inventerons des recettes nouvelles ; ce sera formidable, tu verras.

« NADINE. »

31

C'est dimanche chez Marie-Odile. Premier jour de l'été. Autour de la piscine, une vingtaine d'invités, sans compter les enfants, nombreux à avoir accompagné leurs parents.

Nous connaissons presque tout le monde. Nous rencontrons régulièrement ces gens autour de tables comme celle qu'un maître d'hôtel dresse un peu plus loin, ou sur un terrain de golf, ou en vacances. Pour la plupart, ce sont ce qu'on appelle d'agréables relations; certains davantage : des amis.

Nous sommes arrivés vers midi avec Laure. Il fait exquis. Apéritif autour de l'eau. Champagne-framboise ou « gros rouge » pour ceux qui ne veulent pas faire de mélanges. Le gros rouge est un bon bordeaux. Laure a entraîné son père dans la piscine. Il est le sauveteur, elle, la noyée. Au premier cri, il s'élance dans un crawl impeccable, la prend sous le menton, la remorque jusqu'au bord. Elle fait semblant de se débattre; il fait semblant de l'assommer : il la sauve contre son gré. Je ferme les yeux : l'année dernière, même date, même heure et mêmes invités, nous étions là. C'est un peu comme si rien n'était arrivé : pour une journée, je décide d'oublier.

Ma voisine est charmante. Elle surveille, tout en bavardant, ses deux jeunes enfants. « Femme à la maison et, plus original, dit-elle, heureuse de l'être. » Elle me parle de mon travail avec un mélange de frayeur et d'envie. J'ai l'habitude. « N'a-t-on pas, lorsqu'on se rend chez quelqu'un dont on a agencé la maison, un peu l'impression de rentrer chez soi ? » J'acquiesce. Mais pour arriver à ce moment, le chemin est aride. Qu'elle imagine les chantiers boueux, le plâtre, les ouvriers de mauvaise humeur, le plombier qui fait attendre, l'électricien qui retarde les peintres... Sans compter la crainte, toujours présente, de s'être trompée. Pour moi, les meilleurs moments sont le tout début, lorsque dans l'espace vide je projette, agence des coloris, tend rideaux et tentures, ordonne le mobilier; et celui au bout du parcours où la propriétaire me dit : « Je me sens bien ici. »

Je parle. J'entends répondre aux questions de ma voisine une femme qui n'est plus tout à fait moi. Comment dire ? De la même façon que le père d'Anne-Marie désignait d'un air incrédule son salon de thé, je montre sans tout à fait y croire Nadine Ménessier, décoratrice.

Sur le plongeoir, Laure m'appelle : « Maman ! Maman ! Regarde ! » Elle saute. Lorsqu'elle émerge, dans le brouillard d'eau et de cheveux, c'est moi qu'elle cherche, mon approbation. J'applaudis. Je préfère ce jeu à celui de la noyée. Encore un peu de bordeaux, oui, pour coller les morceaux : la décoratrice-épouse-mère de famille heureuse, de l'an passé, à cette femme d'aujourd'hui, qui ne sait plus bien qui elle est, pourquoi elle a lutté, si elle pourra un jour, à nouveau, profiter sans arrière-pensées d'une première journée d'été.

Il est maintenant une heure. Deux grandes tables rondes ont été dressées devant la maison : celle des adultes et celle des enfants où se trouve Laure. Marie-Odile a séparé les ménages : Gilles est placé loin de moi. Je me trouve entre le mari de la jeune femme à qui j'ai parlé tout à l'heure et un journaliste un peu pédant. La conversation roule d'abord sur la société, dont chacun reconnaît qu'elle n'est pas en bon état. On parle aussi d'avenir : on en vient aux jeunes d'à-présent.

Il n'y en a parmi nous que trois représentants, dont le fils de notre hôtesse. Ils sont placés les uns à côté des autres et ne participent guère à notre conversation. C'est au moment où le maître d'hôtel dépose sur mon assiette un feuilleté aux morilles que quelqu'un prononce bien fort ces mots qui font suite à je ne sais quelle considération : « le lamentable problème de la drogue. »

Par réflexe, je cherche le regard de Gilles. Il m'adresse un mince sourire, un signe de tête apaisant.

« Pour moi, déclare péremptoirement une femme, la drogue est une maladie de la société. »

Elle a la cinquantaine. De ce qui lui reste de beauté, elle tire le meilleur parti; rien n'est laissé au hasard, et c'est à la fois irritant et émouvant.

« Une maladie de la société... si vous nous expliquiez cela ? » demande mon voisin journaliste avec un intérêt feint et une certaine méchanceté.

Voyant tous les regards tournés vers elle, la femme se trouble, minaude. « Il n'y a plus de joie de vivre, finit-elle par réciter, plus de sens de l'effort, plus de morale, plus rien! »

Un rire court autour de la table. « Plus rien »... Ce n'était évidemment ni l'endroit ni le moment pour déclarer une telle chose. Elle baisse son visage uniformément bronzé sur son assiette; ses bijoux brillent dans le soleil. Gilles s'est tourné vers les jeunes qui rient eux aussi; ils ont à peu près l'âge de notre fils. Je m'efforce de sourire. Je me sens lâche. Je voudrais être ailleurs, chez moi, porte close.

« Vous n'avez pas vu, l'autre jour, le film à la télévision? interroge quelqu'un. C'était l'horreur! Ces drogués, des cadavres vivants! Et rien à faire pour les sauver : ils ne veulent pas en sortir.

— Ils ne " peuvent " pas, explique un autre invité. Leur volonté est morte. Ils n'ont plus d'autre désir que de fuir. »

De partout les mots fusent : démission, laxisme, permissivité, facilité, décadence. Rien ne manque au refrain si souvent repris par la presse. Tout le monde est savant et parle à la fois. Il y a comme un brouillard dans ma tête. J'ai l'impression d'assister à un jeu cruel où chacun se renvoie la balle, se félicite de la rattraper. Je voudrais crier pour l'arrêter. Je me méprise de ne pas le faire. Laure me regarde.

« Et de plus en plus jeunes... déplore quelqu'un. Et des drogues de plus en plus terrifiantes...

— Mais que proposez-vous ? demande une femme. Comment enrayer cela ? Et que faire pour protéger nos enfants ?

— Regarder le problème en face, dit une voix nette. Essayer de comprendre d'où vient cette peur du monde, ce désir de fuite. »

Celui qui a parlé de ce ton assuré, c'est mon voisin : le père des deux jeunes enfants qui déjeunent à l'autre table sous la surveillance d'une jeune fille engagée pour l'occasion. Ils ont reconnu sa voix et l'un d'eux se soulève sur son siège pour le voir. Il leur fait signe de la main. Il y a dix ans, sans doute regardions-nous ainsi, avec cette confiance, cet orgueil, Laure et Jean-Daniel. L'an dernier, aurions-nous participé à cette conversation ?

« Ce sont malheureusement des enfants de familles éclatées qui sont le plus souvent victimes de la drogue, reprend le jeune père. Ou bien ceux de parents démissionnaires ! Des enfants livrés à eux-mêmes, privés de guides, d'amour.

— Qu'en savez-vous ? » demande Gilles.

Mon cœur a bondi. Gilles a posé sa question d'une voix très calme; son visage reste lisse. Le jeune père se tourne vers lui, répond à son sourire.

« Je n'affirme rien, dit-il. J'essaie de dire que le rôle des parents est aussi de transmettre leurs buts, leurs croyances à leurs enfants.

— A quoi croyez-vous ? » interroge Gilles.

Marie-Odile le regarde, me regarde, sans comprendre. Elle fait partie de ceux qui savent que nous avons vécu des moments difficiles. Jusqu'ici, je ne pense pas qu'elle se doutait desquels. A la

178

table voisine, Laure a cessé de manger; la fourchette en suspens, elle ne quitte pas son père des
yeux. L'interlocuteur de Gilles semble dérouté : le
ton était affable mais la question agressive.

« Je veux dire : A quoi croyons-nous? reprend
Gilles toujours souriant en faisant des yeux le
tour de la table. Nous tous ici présents, quels buts
sont les nôtres? Quelles raisons avons-nous de
nous enthousiasmer? »

Il y a un silence étonné. Je lis une interrogation
dans les yeux : Gilles parle-t-il sérieusement ou
non? Cette fêlure dans sa voix, sans doute suis-je
la seule à l'avoir perçue : il vient d'avouer une
défaite.

« Oh là là, intervient Marie-Odile. Vous me faites tourner la tête, tous. On est là pour se déten-
dre, non? Si on parlait de sujets plus gais?

— Croyons-nous à notre travail? reprend Gilles, sans paraître avoir entendu notre hôtesse.
Notre but est-il de produire davantage pour
consommer plus? A quoi attachons-nous plus
d'importance? Un chèque consistant ou... un
moment gratuit de beauté par exemple... »

Il y a un rire gêné. Les adolescents ont cessé de
parler entre eux; ils semblent intéressés. « Ou,
peut-être, croyons-nous à notre pays, poursuit Gilles d'un ton badin. A son rayonnement, sa cul-
ture, je ne sais pas,... son avenir; tout ça en nous
demandant, bien sûr, s'il faut ou non construire
des abris atomiques. Et que pensons-nous de la
valeur " solidarité " en assistant sur nos écrans au
spectacle de la famine et de la torture? »

Il y a un timide applaudissement du côté des

jeunes. Le reste de la table est figé. Non ! Gilles ne plaisante pas.

« Et Dieu ? reprend-il. J'allais l'oublier. Croyons-nous à Dieu ? A quelque chose après ? Quelque chose de plus haut ?

— Un peu, risque une dame. Surtout quand ça va mal ! »

Il y a de nouveau un rire ; il s'éteint aussitôt.

« A moins que plus banalement, conclut Gilles, nous croyions à notre compte en banque, nos lingots, à la " pierre ", comme on dit, et que notre but soit d'amasser davantage : merveilleuses raisons de s'enthousiasmer et à donner en exemple à nos enfants. »

La stupeur ! Le cœur battant, je regarde les visages. Ce sont ceux de personnes trahies par l'un des leurs. Ils pensaient connaître Gilles ; ils le croyaient comme eux : l'image se brise. La leur un peu aussi. J'aime mon mari.

« Ecoutez, proteste Marie-Odile d'une voix irritée. Il fait beau. On est bien. Je ne sais pas, mais moi je crois à l'instant présent et je déclare que Gilles nous le sabote ! »

Gilles la regarde, lui sourit, reprend sa fourchette.

« Tu as raison, dit-il. Apprécions l'instant présent, prenons le soleil, régalons-nous... » Il se tourne vers le jeune père : « Et évitons de tirer de belles conclusions à propos de sujets dont nous ne connaissons rien. »

D'un même mouvement indigné, l'interlocuteur de Gilles et Marie-Odile se sont levés.

« Mais enfin, Gilles, crie notre hôtesse. Pourquoi tout cela? Qu'est-ce qui t'arrive? Qui défends-tu?

— Mon fils, répond Gilles sobrement. Et sans doute moi par la même occasion. »

Ils ont repris place sur leurs chaises et il y a eu un long silence. Le courage! Je crois que durant quelques secondes tout le monde s'est incliné devant le courage.

La conversation a repris, laborieuse d'abord, se greffant sur de petites choses : l'excellence du repas, les fleurs rares de Marie-Odile, les vacances prochaines. Peu à peu tout le monde s'y est mis, même Gilles. Au dessert, l'ambiance était revenue.

Après le déjeuner, une femme est venue me trouver. Bien qu'elle fît partie de notre cercle d'amis, je la connaissais mal. Elle parlait peu, ne partageait pas l'ensemble de nos distractions. On l'invitait surtout à cause de son mari. Elle m'a demandé d'une voix timide si, d'une façon ou d'une autre, elle pouvait m'aider; elle en serait heureuse; peut-être tout simplement venir parler avec moi un jour où je me sentirais seule. J'étais trop émue pour répondre. « Ça ira, vous verrez », a-t-elle dit en me serrant la main. J'ai compris qu'elle savait que je ne l'appellerais pas mais qu'elle m'aiderait, là où elle serait.

Nous sommes partis assez vite après le café; pas trop pour que cela n'ait pas l'air d'une fuite. Lorsque, passé la grille de cette belle propriété, nous nous sommes retrouvés sur la route, nous avons eu un même soupir. J'ai commencé par retirer mes chaussures, appuyer ma tête au dossier, fermer les yeux. Je m'étais assise le plus près possible de Gilles; j'éprouvais le besoin de toucher cet homme.

C'est Laure qui a rompu le silence. « L'année prochaine, a-t-elle dit avec humour, si vous voulez mon avis, ça m'étonnerait qu'on soit réinvités. »

Gilles a tiré contre le sien le visage de sa fille : « On va enfin pouvoir compter ses vrais amis ! » Et il a ajouté : « Tu vois, je crois que c'est toi qui m'as donné le courage de parler.

— Quand tu as dit : " Mon fils ", a repris Laure, avec cette drôle de voix, le maître d'hôtel qui était en train de servir du champagne à une dame en a versé plein dans son assiette; elle a eu du bœuf au champagne. »

Alors nous avons commencé à rire; avec précaution d'abord, puis, tant pis, en y allant. Je revoyais Anne-Marie et son père dans la chambre d'hôtel. C'était la même libération déchirante. « A quoi croyez-vous ? » « Qu'en savez-vous ? »... Nous passions en revue l'intervention désabusée de la femme bronzée, la mine piteuse du jeune père, la fureur croissante de Marie-Odile. Et ceux qui essayaient de changer de sujet... Et ce gros type tout rouge qui était allé se jeter dans la piscine au milieu de la conversation et dont la mort par hydrocution aurait bien arrangé la maîtresse de maison... Je n'ai rien dit de celle qui était venue me parler : ma façon de lui rendre hommage.

Avant d'arriver à Paris, Laure s'est tournée vers le paysage et elle a remarqué d'un ton timide qu'il lui paraissait plus beau qu'à l'aller, avec quelque chose de plus profond qui la blessait un peu.

« Tu viens de grandir, lui a dit Gilles avec tendresse. Nous venons tous les deux de grandir ! Pour ta mère, c'était déjà fait. »

Nous nous sommes regardés. L'admiration, l'estime étaient là ; j'essayais de le faire comprendre à mon mari ; ce sont des choses difficiles à dire à voix haute lorsqu'on vit ensemble depuis vingt ans. Gilles venait de me faire savoir, devant tout le monde, qu'il se tenait à mes côtés. J'ai compris que nous pourrions repartir ensemble ; et comme le paysage pour Laure, notre route serait à la fois plus riche et plus profonde, et plus douloureuse aussi.

Pour nous changer les idées, nous avons décidé d'aller au cinéma et, d'un commun accord, avons choisi une de ces bonnes vieilles comédies où l'on rit beaucoup, où l'on verse une larme, où, sans en pouvoir exactement définir le pourquoi, par brèves vagues, on ressent le plaisir de vivre.

32

IL y a des moments dans la vie où tout n'est que doute, interrogation, recul; et d'autres où les éléments s'assemblent, des portes s'ouvrent, naît l'espoir tremblant que le recul peut devenir élan : le moment des réponses. Les réponses aux questions posées par Gilles lors de ce déjeuner chez Marie-Odile nous sont venues le surlendemain.

Devant nous, dans le salon ensoleillé, aussi tordu que l'avait décrit Jean-Daniel, vêtu en jardinier, pieds nus dans ses sandales de cuir, se tenait le frère Charles.

S'il nous avait abordés dans la rue, nous nous serions probablement détournés : nous aurions craint d'être importunés; notre fils avait raison : on côtoie chaque jour l'amour sans le reconnaître.

De passage à Paris, le frère Charles était venu nous voir; il n'avait pas songé à avertir : il était monté et il avait sonné.

Il nous a demandé un verre d'eau. A Paris, il avait toujours soif : la poussière, sans doute. Il n'a pas eu un regard pour le salon, le décor, mais avant de s'asseoir il est allé à la fenêtre et il a dit d'un ton satisfait : « Quelle chance ! Des arbres ! »

Jean-Daniel était arrivé à Beauvallon comme un enfant perdu, nous a-t-il raconté, ou comme ce chevreuil cerné par les chasseurs, hésitant au milieu d'une clairière, dont il avait jadis rencontré le regard. Le regard de Jean-Daniel était celui d'un enfant étranger au langage de ceux qui l'entourent.

Les premiers jours avaient été difficiles; les premières nuits surtout. Jean-Daniel souffrait d'angoisse et rien, semblait-il, ne pouvait le rassurer, le « poser ». Mais lorsque le frère Charles l'avait vu regarder la nature, ouvrir ses narines aux odeurs, toucher le tronc d'un olivier, il s'était dit que cela irait : il gardait un lien avec la vie et cette vie il l'aimait puisqu'il s'en émerveillait. Ils avaient eu à Beauvallon des hôtes que plus rien n'émouvait, et ceux-là on ne savait que faire pour eux.

On lui avait confié une partie du potager : les haricots, les petits pois, les laitues, les tomates. Il était très maladroit et se fatiguait vite, mais il apprenait que la nature n'est pas seulement un spectacle, que pour en tirer de la joie, il faut lui donner sa sueur, et chaque soir Jean-Daniel regardait avec satisfaction les ampoules sur ses paumes : comme des preuves d'enracinement.

Hier, nous avions parlé de « maladie de la société », le frère Charles nous expliquait que cette société, qui apportait aux uns suffisamment de satisfactions pour qu'ils puissent y vivre à peu près correctement, échouait à procurer à la plupart de véritables sources de bonheur. Le bien-être matériel dont nous nous réjouissions de voir profiter nos enfants laissait en eux de grandes places vides qu'ils ne savaient comment combler, qu'ils essayaient en vain d'emplir avec de la musique, du bruit, des objets, la sexualité aussi, parfois la violence.

Oui, la part de la matière était comblée, mais en chacun, disait-il, existait une aspiration profonde à autre chose : c'était la part de l'esprit. Cette faim, beaucoup de jeunes la ressentaient mais sans la situer exactement, sans trouver les moyens de l'assouvir. Ils entendaient des appels auxquels ils ne savaient comment répondre; ils ne savaient pas que c'était d'eux-mêmes dont ils étaient vides; ils tournaient en rond et parfois le désespoir les poussait à détruire ce qui se trouvait autour d'eux et les laissait insatisfaits, ou à se détruire, eux.

Nous avions parlé de « buts »; il nous disait que tout devait passer par soi, par la part de divin que chacun a en soi, qui le fait se reconnaître à la fois différent et unique, libre et solidaire de tous, d'une grande œuvre, du superbe et déchirant voyage humain. Atteindre cette part profonde, c'était s'émerveiller « d'être », tout simplement.

Puis il a parlé de la prière, qui était pour lui le chemin qui ouvre une à une les portes de soi-même et libère l'esprit. Faire le silence, chercher la lumière, s'adresser à ce qui nous dépasse, se hisser plus haut, viser l'éternel en soi, là étaient les clefs du vrai bonheur. A Beauvallon, la prière en commun était le seul écot que l'on demandât aux « invités ». Il avait fallu attendre deux semaines pour qu'un soir Jean-Daniel prît la parole, et il avait crié : « Je suis content ! »

Hier, nous avions parlé de « fuite », le frère Charles nous a demandé avec malice qui fuyait : celui qui toute la journée courait d'une occupation à l'autre, d'un plaisir à l'autre, ou celui qui s'arrêtait, regardait en lui, se demandait qui il était. Oui, entre ces deux hommes, qui « était là » ?

J'écoutais ces paroles et je me souvenais. C'était au temps de *La Maison*, dans cette nature libre, sans barrières, et le silence. Parfois, me promenant, ou simplement penchée sur la terre ou sur l'eau, je sentais passer le souffle fugitif d'un bonheur que je ne définissais pas bien, venu sans aucun doute de cette part de « divin »; j'avais alors, moi aussi, envie de crier : « Je suis contente ! » Ou de murmurer simplement : « Je suis. »

« Mais alors, a demandé Gilles d'une voix anxieuse, nous, pensez-vous que nous vivions mal ? Devrions-nous essayer de changer ? »

Le frère Charles a ri de tout son visage ridé tandis qu'il nous menaçait du doigt : « Restez donc tels que vous êtes, mais soyez attentifs ! Personne n'est à l'abri de Dieu. »

La peur était montée en moi, sourde d'abord, un malaise, pour devenir au fur et à mesure des paroles de cet homme une angoisse précise : cette part d'esprit qui criait famine en notre fils, nous avions échoué, Gilles et moi, à l'alimenter. Nous ne la devinions même pas. Nous ne lui avions offert que ce qui, à nous, suffisait pour être « à peu près bien » ! Jean-Daniel était plus près de cet homme tordu, vêtu en paysan, que de Gilles et de moi; de son potager que de ce salon. Qu'avait dit son ami, l'homme à la flûte, lorsque j'étais allée le voir : « Chacun cherche sa place dans la vie. » La place de notre fils n'était pas près de nous. J'ai demandé au frère Charles de le garder un peu plus à Beauvallon.

C'est lorsqu'il m'a répondu que j'ai compris pourquoi il était venu, et peut-être avait-il fait tout ce voyage uniquement pour répondre à ma question. Leur communauté, comme bien d'autres semblables, ne devait pas être un refuge, une cache, mais un véritable choix, au bout d'un chemin parcouru les yeux grands ouverts. On n'y venait pas pour s'y enterrer mais pour rayonner et semer dans un monde privé d'esprit et qui, de plus en plus, ressentirait le besoin d'un nouvel apprentissage à vivre. Sur le chemin que Jean-Daniel avait à parcourir vers lui-même, nous nous trouvions, Gilles et moi, et tout ce qu'il avait vécu avec nous, contre nous ou malgré nous. Il ne pouvait pas plus nous tourner le dos que renier l'amour et l'admiration qu'il avait pour nous, et pour pouvoir avancer dans sa direction à lui, il avait besoin que nous lui témoignions notre confiance, que nous lui disions « Va ! ». Ainsi, nous lui gagnerions beaucoup de temps.

J'ai murmuré : « Mais c'est lui qui a refusé de nous voir ! » J'avais beaucoup de peine à parler. J'éprouvais à la fois un tel besoin de voir mon fils et une telle appréhension. Le frère Charles a incliné la tête.

« Il me semble qu'il est prêt, maintenant. Vous pouvez lui faire signe. »

C'était moi qu'il regardait, me posant une question. Quel signe ? Comment ? La réponse m'est apparue soudain, évidente. Il l'a approuvée. Gilles aussi.

Avant de partir, il nous a dit qu'il y avait en Jean-Daniel une grande place vide : une grande place pour Dieu. Et il nous en faisait part avec respect et admiration.

33

CETTE maison où je voulais donner rendez-vous à mon fils, qui aurait dû être *La Maison*, nous l'avions vendue. Avant qu'il ait pu comprendre et peut-être accepter que la vie broie les « petits gris », que dans l'eau des champignons coule à la fois le double miracle de l'existence et de sa fin, et que c'est en soi qu'il faut chercher les voyages pour la « belle étoile », nous l'en avions déraciné. Peut-être cette soif en lui, d'autre chose ou d'ailleurs, aurait-elle trouvé à se satisfaire au sein d'une nature intacte, dans ce sentiment de « durée » que l'on y éprouve parfois. Mais à ce lieu privilégié nous avions préféré la ville, ses plaisirs, son bruit, les visages anonymes de « relations » passagères. Nous l'avions engagé avec nous dans la course perpétuelle de la vie moderne; il n'y avait trouvé aucun lieu d'ancrage. « Il ne parvenait pas à se poser », avait dit le frère Charles. Quant à Gilles et à moi, quand avions-nous été vraiment « là » ?

Je retrouverais une maison comme celle d'autrefois; loin des bruits, de la laideur, du provisoire, et j'irais y attendre l'enfant exigeant et sen-

sible que j'avais perdu sans le savoir. J'emploie-
rais tout mon temps, ma force, mon amour à la
trouver : j'avais huit jours.

Nous nous sommes réunis, Martin, Rémi Laffond, Gilles et moi, afin de discuter de ma décision. Martin l'a approuvée. Lui aussi s'était
demandé où irait Jean-Daniel après Beauvallon.
Mon idée lui semblait excellente, mais rien ne me
disait que mon fils viendrait me rejoindre. Ne
serait-il pas plus raisonnable de lui écrire avant
de commencer mes recherches ?

J'ai refusé : je ne sentais pas les choses ainsi. Je
m'installerais dans cette maison et je lui écrirais :
« Je suis là, j'ai besoin de toi. » S'il ne venait pas,
j'y resterais quand même : j'éprouverais le besoin
intense d'une coupure totale avec les horizons
connus.

« Nadine a déjà passé une annonce, a dit Gilles. Mais sans grand résultat !

— Je peux peut-être vous offrir quelque
chose », est intervenu Rémi.

Sa voix était tendue. Jusque-là, il était resté
silencieux, se contentant de hocher la tête pour
indiquer qu'il approuvait. « Vous ne serez pas
obligés de lui dire que c'est la maison d'un flic »,
a-t-il ajouté, comme s'il regrettait déjà sa proposi-
tion.

La maison était située en bord de forêt d'Ardenne. Il y avait passé une partie de son enfance.
C'était une habitation modeste mais les chambres
étaient spacieuses, bien exposées, et nous y trou-
verions l'indispensable. Elle était libre cet été. Il
se proposait de nous y accompagner en fin de
semaine.

Nos regards se sont croisés; il s'est détourné. Alors j'ai compris : cette maison, c'était celle devant laquelle se tenait sa fille, Marylène, sur la photo que j'avais vue chez lui. Je me souvenais d'un banc de pierre, d'un poirier grimpant et d'un large sourire à la vie et j'ai dit « oui » si vite et d'une telle voix que Gilles et Martin m'ont regardée, étonnés.

Cette fin de semaine, Gilles la passait à Londres, pour son travail. J'ai demandé à Rémi : « Accepteriez-vous de m'emmener ? » J'avais du mal à respirer. « Nous pourrions faire l'aller et retour dans la même journée. »

Il est venu me chercher dimanche, à huit heures.

Il conduit vite, souplement. Je ne vois pas ses yeux, cachés par des verres fumés. Il porte un blouson, un pantalon de toile; le col de sa chemise à petits carreaux est ouvert. Je ne l'avais jamais vu sans cravate. Je ne l'avais jamais vu en congé, en balade, et soudain je ne le reconnais plus, ni moi à ses côtés. Où est l'inspecteur qui, derrière un bureau anonyme, m'indiquait d'une voix sévère le chemin à suivre, le plus difficile, le seul ? Où est la femme en larmes qui se jurait de ne jamais le revoir ? Et celle qui, quelques jours plus tard, s'abattait sur sa poitrine, implorait son aide.

Après le drame, les moments intenses, soudain c'est l'accalmie; restent dans cette voiture, par une belle journée d'été, un homme et une femme qu'apparemment rien ne destinait à se rencontrer et que la vie a mystérieusement réunis : un couple que surprend et intimide cette journée à passer ensemble.

Sans que je le lui demande, Rémi me parle de sa femme; elle n'a jamais accepté la mort de Marylène et refuse désormais cette vie qu'elle aurait voulu donner à la place de la sienne. Il prononce à contrecœur le mot « dépression », comme un mot piège; des crocs qui se seraient refermés sur elle et qu'il est impuissant à desserrer. « Elle ne se bat plus », dit-il sombrement. « Se battre... », un mot qu'il emploie souvent.

Je regarde ses mains sur le volant. Il le tient fortement, pas du bout des doigts comme certains. Tout ce qu'il fait, me semble-t-il, renferme cette énergie.

« Cette maison où nous allons... vous avez dit que c'était celle de votre enfance?

— La maison de mes grands-parents. »

Sa voix vibre. Ce sont eux qui l'ont élevé et il y a été un enfant heureux et libre. Son grand-père était garde-chasse. A chaque fois qu'il le pouvait, Rémi l'accompagnait dans ses rondes en forêt. Il ne faisait pas bon, pour les braconniers, se trouver sur son chemin! Parfois, il autorisait Rémi à porter son fusil. Comme il lui semblait beau, le vieil homme, dans son uniforme, les jours de chasse. Rémi n'avait qu'un but : un jour, l'émerveiller à son tour.

« L'uniforme... l'arme... et voilà comment on devient flic », dit-il en souriant.

Ses grands-parents sont morts il y a cinq ans, à quelques jours l'un de l'autre, réalisant ainsi leur dernier souhait : partir ensemble.

Je risque : « Et vos parents ?

— Je n'ai jamais connu mon père, répond-il brièvement. Après ma naissance, ma mère s'est placée à Charleville. Elle y a rencontré un autre homme... »

Nous nous arrêtons pour prendre un café dans un restaurant au bord de l'autoroute. Dire que j'aurais pu ne jamais connaître que « l'inspecteur » ! J'ai soudain une conscience aiguë du temps : je voudrais le retenir. Déjà dix heures ! Café, lait, croissant, beurre. « Je vous compte tous les deux ensemble ? demande la caissière comme nous arrivons devant elle avec nos plateaux.

— Tous les deux ensemble », dit Rémi.

Nous nous asseyons à une table tranquille, loin du passage. Quelque chose monte entre nous, de fort, de chaud. Il me regarde badigeonner mon croissant de beurre. A mon tour, j'ai envie de raconter : « J'avais quatre ans et c'était la guerre. On avait droit, le matin, à un infime morceau de beurre; on le raclait sans fin sur sa tartine pour qu'il y " en ait partout ". Le beurre, pour moi, sera toujours signe de paix : je n'en serai jamais rassasiée. »

Il approuve. Pour lui, la guerre, c'est une livre de farine bien blanche qu'il avait confectionnée en cachette pour sa grand-mère avec le produit du glanage dans les champs. Mais quelle déception lorsqu'elle la lui avait rendue en gâteau !

En l'écoutant, j'ai retrouvé sans m'en rendre compte un de mes tics d'enfant : je mordille le bout de ma natte. Il rit : « Vous n'avez pas du tout l'air d'une mère de famille »... Je grimace : « Et pourtant, si nous sommes là... » Son regard m'enveloppe, s'arrête à mes yeux. La chaleur envahit mes joues. J'essaie de sourire. Il dit soudain en se détournant : « Il faut y aller », vide sa tasse d'un trait, se lève, me tourne le dos. Que fuit-il ? Moi, mon cœur bat !

Il est onze heures. Nous avons quitté l'autoroute et roulons dans la campagne. Le paysage est vallonné, doux et humide, aux couleurs lourdes. Rémi regarde le ciel d'une autre façon, plus exigeante : c'est le sien ! « Il va encore nous jouer des tours », prophétise-t-il. C'est ce qu'aurait dit son grand-père en voyant apparaître ce noir à l'horizon.

Puis nous traversons un village : maisons costaudes, pierre et ardoise. Des gens sont réunis sur le parvis de l'église où sonne la grand-messe. Un homme baisse le store d'un restaurant coquet. Les lèvres de Rémi sont serrées; son visage s'est assombri. Nous roulons à présent très lentement sur un chemin à ornières. Il s'arrête soudain.

« C'est là ! »

Devant nous il y a un champ et, au bout, la forêt, masse dense, plus noire que verte. A notre droite, au fond d'un jardinet, se dresse une vieille maison à un étage où tout est symétrique ce qui lui donne cet aspect naïf. Rémi a arrêté le moteur de la voiture mais il garde ses mains crispées sur le volant. Il fixe les volets fermés.

« Pardonnez-moi, Nadine, mais je n'étais pas revenu ici depuis que Marylène... »

Le dernier été de sa fille; elle ne se sentait un peu mieux que là, près de ces arbres qui, disait-elle, l'aidaient à respirer. Et un jour, une brusque aggravation, l'hôpital, la fin.

Les larmes me montent aux yeux. Je comprends l'importance du cadeau qu'il me fait. Pour attendre mon fils, le cadre de son enfance, la maison que sa fille aimait, celle de son bonheur et de sa souffrance : son territoire.

Je crois en la magie des lieux. Je crois que cet endroit où Marylène aimait la vie pourra aider Jean-Daniel à y reprendre goût, qu'un fil s'est rompu là et attend qu'on le ressaisisse.

Nous marchons vers la maison. C'est un fouillis d'herbes, de ronces, d'orties. « Trois ans, dit Rémi. Et regardez-moi ça ! » Il montre les dégâts : « C'est comme si on la laissait mourir une seconde fois. » Sa voix gronde de révolte. De quoi s'en veut-il ? Ma main va vers la sienne.

Je crois que nos deux enfants nous rassemblent. Que, de très loin, un appel, comme un défi à la mort, nous a réunis ici. Il le ressent aussi et ses doigts serrent les miens.

Voici le banc de pierre taché de mousse jaunie, le poirier tressant sur le mur ses branches et ses odeurs, la porte de bois peint contre laquelle pourrit un journal encore entouré de sa bande.

J'ai ramassé le journal pour qu'il n'en lise pas la date. Il faudra dégager ces ronces, retracer l'allée, la border de fleurs, ouvrir grand ces volets, faire fumer la cheminée, saisir à pleines mains le fil rompu hier pour nouer, à la douleur des jours passés, la confiance en ceux à venir.

34

C'ÉTAIT comme si la vie, arrêtée en plein élan, attendait qu'une voix, un regard, une main vînt la relancer. Tout semblait en suspens : un ouvrage laissé sur une table, trois coussins empilés à la tête du canapé où peut-être Marylène reposait avant le départ, un livre ouvert, un jeu de dés et, dans la grande cheminée, une bûche à demi consumée.

Silencieux, rapide, Rémi poussait les volets des deux fenêtres, traversait la grande pièce, un couloir, passait dans la cuisine. Comme la lumière y entrait, je découvris un profond évier de grès, une table de bois massif et la magnifique cuisinière aux boutons de cuivre.

Tout était en ordre, mais il y avait des tasses sur l'égouttoir, un pain sur le buffet. Comme s'il craignait, s'il s'arrêtait, de n'avoir pas la force de poursuivre, Rémi revenait déjà dans le couloir, s'engageait dans l'escalier. J'hésitai à le suivre. Il m'a fait signe. En haut se trouvaient les chambres, « sa » chambre.

Nous avons commencé par celle au large lit. Au-dessus de celui-ci, en médaillon, deux visages rapprochés : lui, rude, portant fièrement moustache aux coins relevés; elle, douce, à l'expression candide.

« Venez voir », a dit Rémi.

Sur la cheminée, une vingtaine de soldats étaient alignés : d'anciens soldats de plomb aux beaux uniformes de couleur : culotte blanche, bottes noires, hauts bonnets foncés au plumet vert. Ils marchaient, sac au dos, escortés de quelques cavaliers leurs fusils pointés en avant; l'un d'eux était tombé sur les genoux.

« Des soldats de l'Empire! Quelqu'un les avait donnés à mon grand-père; à chaque fois que j'avais de bons résultats en classe, j'en recevais un. »

Précédant l'armée se tenait le tambour. Il était un peu plus petit que les autres, deux naïfs points rouges sur ses joues disaient sa jeunesse; son instrument, superbe, paraissait trop grand pour lui; l'effort tendait son menton en avant; un de ses bras avait été brisé, l'autre brandissait la baguette.

Rémi l'a désigné : « C'est vous! Quand je vous ai rencontrée, j'ai tout de suite pensé à lui. S'il n'avait plus de bras, il frapperait avec le menton mais il continuerait à mener les autres au combat. C'est un " brave petit soldat ". »

J'ai regardé le tambour et mon visage dans la glace. J'ai dit : « Le soldat est fatigué, les courroies du tambour lui ont scié l'épaule; il a envie de le poser. Il n'est même pas certain de gagner la bataille.

— Pourtant, voyez..., il continue! »

Il s'est retourné vers la chambre : « Et il m'a donné le courage de revenir ici. »

Nous nous sommes accoudés à la fenêtre. Du jardin, montait une odeur d'herbe mouillée. Plus loin s'étendait le champ et, là-bas, prenant tout l'horizon, la forêt. J'ai tendu mon visage au vent, j'avais envie qu'il remplisse la maison, nettoie, efface, rajeunisse.

« Plus jamais Marylène ici! a dit Rémi avec effort. Moi aussi, à ma façon, en refusant de revenir dans cette maison, je fuyais la vérité. »

Il s'est tourné vers moi. Je ne savais quels mots lui dire. J'avais peur, par une maladresse, d'arrêter ce flot que je sentais monter en lui, qui le libérait.

« Un jour, au bureau, vous m'avez dit : " Vous ne pouvez pas savoir. " Ce jour-là, vous m'avez délivré, Nadine. J'ai pu parler d'elle. »

Et un matin, dans la chambre dévastée de Jean-Daniel, il s'était trouvé là pour m'aider! Je l'ai précédé vers l'autre porte; c'est moi qui l'ai poussée.

Sur le haut lit entouré de bois comme on les faisait autrefois, s'arrondissait une couette. Quelques ustensiles simples étaient posés sur une table de toilette : cuvette, broc, une brosse pour les cheveux. Contre le mur, il y avait un bureau d'écolier, le pupitre d'un enfant qui recevait pour ses bonnes notes un soldat de l'Empire; celui, plus tard, où une petite fille destinée à mourir très vite devait enfermer ses trésors.

Nous nous sommes approchés et il l'a ouvert. Il y avait des lettres, des fleurs séchées, des crayons de couleur.

« Elle disait : " Je ne veux pas mourir avant d'avoir vécu. " Sa façon de dire : " Avant d'avoir aimé. " Quand je pense qu'à dix-sept ans ils font tous l'amour avec n'importe qui, n'importe comment ! C'est une petite fille qui est morte. »

Il a laissé retomber le couvercle du pupitre et m'a tourné le dos. C'est toujours une phrase, un geste, un moment en apparence peu importants qui vous rappellent quelqu'un qu'on a perdu. J'ai entendu la voix angoissée d'un petit garçon : « Dis, maman, qu'est-ce qu'on peut faire pour les escargots ? »

Je me suis approchée de Rémi : « Nous serons bien ici, ai-je dit, merci. »

Alors il s'est tourné vers moi et, du dos de ses doigts, très brièvement, très légèrement, il a caressé ma joue.

Puis, dans la cuisine, comme deux enfants, nous furetions à la recherche de quoi déjeuner. Nous avons trouvé une plaque de chocolat blanchi, un bocal de pêches au sirop, un paquet de gâteaux secs, une bouteille de cidre. Rémi riait en me montrant, dans la grande salle, le canapé. Il l'avait offert à ses grands-parents avec le fruit de son premier travail. Il leur avait fallu un an pour condescendre à s'y asseoir. Son grand-père, habitué à son vieux fauteuil d'osier, regardait avec méfiance cet instrument d'où il craignait ne pas pouvoir se relever. Sa grand-mère trouvait inconvenant de s'asseoir devant tout le monde, c'est-à-dire Rémi, si près de son mari.

Je découvrais son rire, un visage éclairé, des traits plus jeunes, un autre homme. Puis il était déjà deux heures. Une pluie fine mêlée de soleil vaporisait le jardin. Par toutes les ouvertures entraient à présent les odeurs éveillées par l'eau. Nous venions de terminer le café.

Rémi s'est levé. Il a disparu un moment. Il est revenu avec deux cirés et des bottes.

« Il reste à vous présenter la forêt », a-t-il dit.

35

ELLE soupire, crépite, s'égoutte. Elle est profonde, dense, sombre et parfois brusquement empourprée. De larges frissons la traversent, toutes les odeurs. Elle est vivante à vous serrer le cœur.

Rémi a ramassé une branche, l'a dévêtue de ses feuilles et me l'a donnée pour m'aider à frayer mon chemin. Ignorant les sentiers, nous marchons entre les arbres. Il me précède, yeux et narines aux aguets. Il sait où il va. C'est son domaine.

« Regardez », dit-il.

Parmi feuilles mortes et branchages est creusé un long et large trou.

« La bauge d'un sanglier. »

Il s'accroupit, y promène la main, en ramène une touffe de poils.

« J'en ai passé des heures à les attendre ! Voir se coucher un sanglier ! Mais ils me sentaient, bien sûr. J'avais beau leur jurer que je ne leur voulais aucun mal, rien à faire ! »

Nous avons repris notre route parmi taillis, ronces et fougères. Machinalement, mon œil cherche des champignons au pied des arbres. Maintenant, c'est vers un chêne que Rémi m'entraîne.

« Les cerfs! »

Avec leurs bois, ils ont lacéré l'écorce. Et ces merisiers, là-bas, ce sont les biches qui les ont mis à mal. Ne parlons pas des lapins qui font d'un coup de dent sauter les têtes des jeunes sapins.

« C'est la guerre!

— C'est la vie. »

Là, soudain, la lumière pénètre. Plusieurs troncs d'épicéas sont couchés sur le sol, dans un lit d'écorce et de sciure. Rémi se penche sur l'un d'eux, compte les cercles à l'endroit où la scie a passé : « Celui-là avait quatre-vingt-treize ans. »

Je m'assois sur le bois luisant. J'y appuie fort mes paumes. Je retrouve ce mélange de douceur humide et de rudesse. C'était dans les bois du Jura. J'avais douze ans.

« Marcher sur les arbres abattus... Je ne m'en lassais pas. Cela me donnait une impression de puissance. Il s'agissait, les yeux fermés, d'aller d'un bout à l'autre du tronc sans tomber. Les premiers pas étaient aisés : le tronc était large! Mais après, non seulement il s'amenuisait mais pliait sous mon poids. Je me disais : " Tout autour, c'est une rivière profonde où attendent des crocodiles. Si tu tombes, tu meurs. " Les derniers pas, je les faisais en courant, le cœur battant. Un jour, je suis tombée sur une pierre. On m'a fait trois points de suture. »

Au ras de mes cheveux, je montre la cicatrice.

« Mais les crocodiles vous ont épargnée, dit Rémi. Vous êtes là! »

Son doigt effleure l'ancienne blessure, comme ma joue tout à l'heure. Il s'assoit à mes côtés. « Parlez-moi encore de vous. Je vous connais si peu. »

Alors qu'il cherchait ici les bauges des sangliers, je longeais sagement les allées du Bois de Boulogne. Ce n'était pas les cerfs qui hantaient les parties où l'on m'interdisait d'aller mais des hommes qui, disait-on, se transformaient en bêtes sauvages quand ils voyaient une petite fille. J'habitais à Neuilly, un bel appartement. Une personne nous servait à table. Pour mes bonnes notes, on me donnait une somme d'argent que je dépensais en nonettes. Je ne me savais pas privilégiée.

Il rit. Privilégié? Mais il l'était bien plus que moi! Lui aussi était servi à table, par une femme qui l'aimait : sa grand-mère. De sa fenêtre, il ne voyait que bleu et vert, gris et pourpre, ciel et arbre, et pour vous endormir, quand la nuit est tombée, la forêt c'est comme la mer, ça fait un bruit de vagues.

Je ferme les yeux pour les écouter. A l'odeur du bois coupé se mêlent celle des aiguilles de pin, de la résine et de la mousse. C'est de là-haut que tombent les odeurs d'été. La pluie a cessé. De nouveau m'étreint la notion du temps. A la fois il n'existe plus et il nous est compté.

« Et puis? » murmure Rémi.

« ... A genoux au pied de mon lit, chaque soir je priais Dieu. Il y avait dans l'Evangile plein de mots-tonnerre qui dressaient des barrières à la vie. Cette vie, je l'aimais tant que je me faisais mal pour mieux en profiter. L'hiver, j'ouvrais grande la fenêtre pour avoir froid avant de me glisser sous les couvertures de mon lit. Je me rêvais perdue pour redécouvrir mes parents, captive pour être libérée. De l'amour, je ne connaissais rien. Je rêvais à des princes charmants. »

Les princes charmants ? Chez Rémi on s'en méfiait. Ils séduisaient les pauvres filles et les laissaient sur le pavé avec un souvenir encombrant. On ne prononçait jamais le nom de son père à la maison. Dieu ? Son grand-père n'y pensait guère, mais chaque dimanche il menait sa femme à l'église et eût été fort contrarié si elle y eût manqué.

J'avais épousé Gilles à vingt ans. Si le bonheur est une somme de moments où l'on se sent accordés, l'un à l'autre, à ce que l'on fait, vit, regarde, alors je pouvais dire que nous avions été heureux. Puis Jean-Daniel...

Rémi avait toujours connu Denise, fille d'un village voisin. Ils avaient en commun des souvenirs d'enfance, cette forêt. Ses grands-parents l'avaient aimée. Elle portait la bague que son grand-père avait offert à son épouse en la payant à tempérament sur cinq ans. Ils étaient eux aussi « accordés ». Puis Marylène.

Il me regarde. Puis nous ! Quelque chose emplit ma poitrine, d'intense et de douloureux, qu'il me semble reconnaître. Je ne peux plus parler, seulement lire ce que me disent ses yeux. Ma tête tourne. Il la prend dans ses mains et, quelques secondes, appuie ses lèvres sur les miennes.

Il est quatre heures, un dimanche de juillet. Nous rentrons à la maison. J'inscris en moi un ciel lavé, des herbes ployées d'où surgissent les taches rouges des coquelicots, le souffle d'une forêt, un arbre couché près duquel, durant quelques minutes, la vie aura réuni l'enfant du garde-chasse et la petite fille de Neuilly.

36

CE matin, nous avons accompagné Laure à l'aéroport. A l'endroit réservé pour les départs en groupe, une quantité d'adolescents se pressaient. Ils étaient pour la plupart venus avec leurs parents et c'étaient ces derniers qui semblaient les plus agités. Des pancartes portant le nom d'organisations étaient affichées partout. Laure a très vite repéré la sienne.

Son voyage était organisé par le professeur d'anglais de son lycée : une dame au chignon gris autour de laquelle étaient déjà rassemblés plusieurs camarades de notre fille. Chacun vivrait dans une famille du cru et ils se retrouveraient pour le sport et pour les cours.

L'Irlande, on en parlait beaucoup dans les journaux depuis que des jeunes y faisaient une tragique chaîne de la faim. La cause qu'ils défendaient, juste ou non, avait pour eux plus d'importance que leur vie. Et dans d'autres pays, d'autres mouraient aussi de faim mais sans l'avoir choisi tandis qu'ailleurs encore c'était la guerre qui les dévorait. Je n'avais jamais pensé à cela plus de quelques minutes et parce que cette vie mon fils l'avait, à sa façon, refusée; soudain ils étaient tous là, tous ces jeunes pleins de forces neuves, d'exigence ou de désespoir. Le tragique était sans doute de ne pouvoir vivre qu'en les oubliant.

En reconnaissant ses amis, Laure a couru vers eux et ils l'ont entourée et fêtée. C'était la première fois qu'elle partait pour l'étranger sans nous : onze ans, ce n'est pas vieux, et elle m'a semblé très petite soudain. Gilles a passé en riant son bras sous le mien : « Pas la peine de demander qui est la plus émue! » Mais j'avais tellement envie qu'elle se plaise là-bas, qu'elle soit heureuse, tout simplement.

Elle nous a présentés à son professeur : Mlle Lebroc. « Vous pouvez me la laisser, maintenant, a dit celle-ci. De toute façon, nous n'allons pas tarder à embarquer. » Visiblement, elle préférait que nous partions. « Vous trouvez les parents encombrants, c'est cela? a plaisanté Gilles.

— Pas exactement, a-t-elle répondu avec gentillesse, mais parfois, voyez-vous, ce sont eux qui, sans le vouloir, angoissent leurs enfants. »

J'ai embrassé Laure pour lui dire au revoir. Elle regardait son groupe du coin de l'œil et, quand je lui ai rappelé que dans son sac en bandoulière il y avait ses papiers, son passeport, de l'argent, mon adresse à la campagne, elle m'a fait remarquer avec agacement que je le lui avais déjà dit plusieurs fois... Elle a présenté son front à son père : « Mets-nous un mot dès demain pour nous dire que tu es bien arrivée », a recommandé celui-ci. Je ne suis pas certaine qu'elle ait entendu; elle avait déjà rejoint ses amis.

Nous nous sommes arrêtés un peu plus loin

pour la regarder une dernière fois. Elle sortait de son sac sa raquette de tennis et la faisait admirer à une camarade. Chaque enfant en avait une. On voyait à la façon dont certains la brandissaient qu'ils avaient déjà pratiqué ce sport. Pour Laure, ce serait le début et sa raquette semblait trop grande pour elle.

« Nous avons une fille heureuse », m'a dit Gilles.

En regagnant la voiture, nous ressentions la même impression de vide. Le paysage était différent : nous le regardions sans Laure. On voit toujours les choses par les yeux de ceux avec lesquels on vit, ou par ceux de l'absence.

Nous ne sommes pas repassés par la maison — j'avais, moi aussi, mis ma valise dans le coffre de la voiture ce matin — mais nous nous sommes longuement arrêtés dans un supermarché et avons rempli deux chariots de victuailles. Comme je rajoutais dans le chariot des boîtes de cannellonis, délices de Jean-Daniel, j'ai lu l'inquiétude dans le regard de Gilles : « Et s'il ne venait pas ? » Puis il a dit en riant : « Tu n'oublieras pas de lui mettre deux centimètres de fromage râpé dessus. » Pour lui, j'ai pris de quoi faire des « planters » apéritifs à base de rhum et jus de fruits; et pour nous deux, de gros gants de jardin; Gilles viendrait en week-end; peut-être au mois d'août.

Alors que nous attendions au guichet, il a regardé sa montre : « Ça y est! Laure s'est envolée! » J'étais sur le point de le lui faire remarquer. Nous nous sommes souri. Nous avions tant de choses en commun, d'heures, de moments bons ou moins bons, tant de vécu. Avant, je n'y pensais guère : n'était-ce pas là le bagage ordinaire amassé par un couple au cours d'une vie commune? Aujourd'hui, ce bagage m'apparaissait différent, plus précieux peut-être, mais aussi plus lourd : je l'avais choisi.

Il y avait du monde sur la route. Gilles a voulu s'arrêter pour prendre un café. Nous nous sommes assis au comptoir. Je regardai la salle : un groupe de jeunes étaient installés à la table du fond. Là, Rémi m'avait dit : « Vous n'avez pas du tout l'air d'une mère de famille. »

En passant par le village, j'ai fait remarquer à Gilles le petit restaurant dont Rémi m'avait présenté le patron : ce serait d'ici que, si besoin était, je viendrais lui téléphoner. Pour mes trajets, j'aurais la bicyclette que Rémi avait remise en état pour moi.

« Te voilà revenue vingt ans en arrière », a remarqué Gilles.

Il y a vingt ans, quand je l'avais connu, je ne circulais qu'à vélo.

Je lui avais fait une telle description du jardin qu'il ne l'a pas trouvé si désastreux que ça. Il valait mieux, a-t-il dit, avoir trop de travail que pas assez. Après notre passage, on ne le reconnaîtrait pas.

Une femme du village était venue nettoyer la maison; les fenêtres étaient ouvertes. La grande pièce avec sa vaste cheminée, les poutres au plafond, le vieil escalier aux marches craquantes, tout cela lui a beaucoup plu.

Nous avons rangé les provisions et préparé les lits. Je lui ai parlé de Marylène, morte si jeune de leucémie. Je ne voulais pas le lui cacher mais n'avais pas envie d'en dire davantage.

En fin d'après-midi, nous avons été marcher dans le champ en direction du bois. C'était un paysage nouveau pour nous, haut en couleur, chargé de mélancolie. L'herbe avait été coupée, les coquelicots avec, mais il restait par endroits du trèfle en fleur, des clochettes mauves. Et toujours le regard revenait vers les arbres, là-bas.

Une odeur puissante montait en lisière de forêt. Je la reconnaissais. Autour d'un gros chêne, voletaient de minuscules papillons verts. On voyait la barrière de ronciers. Plus loin, se trouvait le lit d'un sanglier et, plus loin encore, les grands arbres couchés. J'en sentais le tronc sous mes paumes.

Gilles a désigné le sous-bois.

« Je te laisse la primeur de la découverte. Mais quand tu viendras t'y promener, tu feras bien de mettre des bottes.

— J'y suis venue avec Rémi », ai-je dit.

Il a fait quelques pas dans le bois et s'est penché sur un jeune sapin que les ronces étouffaient.

« As-tu l'intention de l'inviter ici ? » a-t-il demandé.

Son ton était celui de l'effort. Je ne pouvais voir son visage. Des deux mains, il écartait les ronces pour dégager l'arbrisseau.

« Il a bien trop à faire, ai-je répondu. Et sa femme a besoin de lui. Je ne pense pas que nous le revoyions de sitôt. »

Il s'est redressé. Le sapin était penché mais à présent il y avait de l'air autour de lui.

« Crois-tu qu'il vivra? a-t-il interrogé. Je ne peux faire plus pour lui.

— Il vivra, ai-je promis. Mais il faudra encore l'aider. »

Il m'a tendu sa main écorchée; j'en ai retiré les épines. Nous avons repris le chemin de la maison. Il me précédait de quelques pas.

« Tu sais, ai-je dit. A un moment, je ne savais vraiment plus où j'en étais. Tout était sens dessus dessous; parfois j'avais l'impression d'avoir vécu pour rien. Je me disais : A quoi bon continuer! »

Il s'est retourné et m'a attendue.

« Je sais, a-t-il dit simplement, et j'ai eu très peur, ma mie. »

J'ai glissé mon bras sous le sien. Il ne m'avait pas appelée ainsi depuis des années. Lorsque nous nous étions connus, c'était une de ses façons de me dire qu'il m'aimait. Ma mie. Ma moitié.

Je me suis appuyée à lui. Ma tête se logeait parfaitement au creux de son épaule. Je ne savais pas que l'on pût éprouver à la fois tant de douceur et cette déchirure. Et j'ai dit « oui » aux deux. Un coup de baguette de tambour pour chacune. Mais la résignation, pas question! Jamais!

La nuit était presque tombée lorsque nous avons regagné la maison. Avant d'y entrer, Gilles s'est arrêté. Il a pris une longue inspiration et il a crié de toutes ses forces : « Mon Dieu, faites qu'il revienne! » C'est tout ce qu'il a dit de son fils.

Je lui ai écrit après le dîner tandis que Gilles bricolait l'antenne d'un poste de télévision qu'il avait tenu à emporter pour moi. Je lui disais en résumé qu'après ces dernières semaines j'éprouvais un besoin impérieux de silence et aussi de temps, oui, de temps devant moi pour regarder, pour réfléchir. Un ami nous avait prêté une maison qui, je crois, lui plairait, au bout du bois d'Ardenne. Outre la découverte de ce bois, il y avait fort à faire dans le jardin et je n'y connnaissais rien; entre le bon et le mauvais, je suis bien capable d'arracher le bon et, parce que souvent il a de belles couleurs, de laisser étourdiment proliférer le mauvais. S'il voulait venir m'aider, même peu de temps, même une journée, j'en serais heureuse. Et puis j'avais tant de choses à lui dire : je l'aimais tant.

Gilles a posté ma lettre au village, le lendemain après le déjeuner, en repartant vers Paris.

37

Ce matin, un vieil homme est passé. Il m'apportait, au fond de son béret, quatre œufs frais de ses poules. Il avait vu les volets ouverts; on lui avait dit que Rémi avait prêté sa maison à une dame, alors il était venu voir si la « dame » avait besoin de quelque chose.

Je lisais sur le banc de pierre. De cette place, on voit un bout de route. J'avais mis mes jambes au soleil; la température était exquise. Il a posé les œufs un à un sur le rebord de la fenêtre et m'a demandé l'autorisation de remettre son béret. Nous avons bu du cidre frais et, tout en se roulant une cigarette, il m'a parlé de lui, c'est-à-dire de la forêt.

Toutes ces têtes vertes, là-bas, ces « sujets » plus ou moins bien venus, c'était sa propriété. Non qu'il les possédât sur le papier mais voilà cinquante ans qu'il s'en occupait et son père avant lui; il les connaissait tous; il les avait plantés, vu grandir, et avait, à sa façon, droit de vie ou de mort sur eux. C'est ainsi qu'il était devenu comme les doigts de la main avec le grand-père de Rémi. L'un s'occupait des arbres, l'autre de la population qu'ils abritaient; s'ils ne s'étaient pas entendus, cela aurait été sur le dos de la forêt; tous deux l'aimaient trop pour cela.

Le vieil homme s'appelait Thomas Lavigne. Il parlait sans hâte, les yeux sur son domaine. Pressé? Peut-on l'être lorsqu'on vit au milieu des chênes? Il fallait à ceux-ci cent cinquante ans pour devenir bons à couper. Autrefois, c'était eux qui avaient la cote. On les plantait pour ses petits-enfants; aujourd'hui, les gens leur préféraient les résineux, qui rapportaient plus vite.

Chênes, épicéas, douglas, frênes ou hêtres, la tâche la plus importante de Thomas Lavigne était de protéger la jeunesse. Et il fallait bien savoir que tout se liguait contre elle : la neige qui cassait les pousses, les animaux qui appréciaient leur saveur ou s'en amusaient, les ronciers, framboisiers ou autres sales engeances qui les étouffaient. Alors, lui, il dégageait, dégageait à s'en casser les bras pour permettre aux semis d'avoir leur part de lumière; et quand il voyait les jeunes pousses, après son passage, relever gaillardement la tête, c'était sa récompense.

Tandis qu'il parlait, le vent s'était levé. Il l'a humé en fronçant les sourcils : « C'est le vent blanc, a-t-il annoncé. Celui qui trousse les feuilles. »

Je l'ai raccompagné jusqu'au chemin. Il a remarqué le tas de mauvaises herbes que j'avais fait au bout du jardin avec la fourche plantée bien droite au centre en souvenir d'enfance. Je lui ai expliqué que j'attendais mon fils pour y mettre le feu; mon fils aurait beaucoup aimé tout ce qu'il venait de me raconter. La ville lui avait été néfaste; il n'y avait pas trouvé sa part de lumière.

En m'écoutant, le visage de Thomas Lavigne s'était un peu rembruni : « Mon fils à moi est parti en ville, m'a-t-il dit. Il travaille à la poste. Il a un logement guère plus grand que le tronc d'un chêne de cent ans mais sa femme a des machines, ils vont au cinéma et ils sont heureux. Pas question de leur parler de revenir ici ! »

Alors j'ai ri; il a ri aussi. C'était la vie.

Après le départ de Thomas, j'ai écrit à ma mère et je lui ai tout raconté en m'excusant de ne pas l'avoir fait plus tôt, mais j'étais dans l'incertitude, je souffrais, et dans ces cas-là, elle me connaissait, j'ai plutôt tendance à rentrer dans ma coquille. Cela allait mieux maintenant. Tout n'était pas réglé, loin de là, mais je me sentais debout à côté de mon fils. Je lui ai demandé de ne pas le juger.

Je suis allée poster ma lettre au village après le déjeuner. J'éprouvais beaucoup de plaisir à refaire du vélo. La route est plate avec une courte descente à la fin. Tout en pédalant, je repensais à ce malaise que j'avais éprouvé le jour où l'on m'avait appelée de l'hôpital : comme si je savais ! Je ne savais rien clairement mais, au fond de moi, je devais bien sentir que mon fils n'était pas heureux. Que l'on ne me dise pas comme certains : « Qu'est-ce que le bonheur ? » Quand on l'a connu, quand on l'a perdu, on sait. Sans doute, lorsque Jean-Daniel venait me voir, quand nous étions ensemble, sentais-je une faille, une blessure, mais pressentant tout le chemin à parcourir vers lui, toutes les questions et blessures que cela supposerait, je fermais les yeux. J'étais bien, moi, dans ma vie. Il avait vraiment fallu qu'on m'en sorte à coups de pied.

Le village s'enroule autour de son église, faisant penser aux cercles d'une coquille d'escargot. Les cloches sonnent souvent, vous obligeant malgré vous à relever la tête et à vous poser la question de Dieu. Enfant, je me révoltais lorsqu'on me disait que Dieu vous envoyait des épreuves pour votre bien. Aujourd'hui, je ne savais plus. J'éprouve depuis quelque temps un sentiment de richesse. Là, par exemple, j'avais envie que ces deux kilomètres soient cent, pour continuer à pédaler avec, dans ma poitrine, cette voix, je ne sais laquelle, qui m'appelait à faire de grandes choses, je ne sais lesquelles; l'essentiel était l'appel. En moi, j'ai souri au frère Charles.

Le patron du restaurant a paru tout heureux de me voir. Nous avons bu un café ensemble puis je lui ai demandé l'autorisation de téléphoner. J'ai eu Rémi aussitôt. Tout de suite, il a demandé : « Jean-Daniel ? » J'ai répondu : « Pas encore. » J'ai promis de lui écrire dès qu'il reviendrait. Je lui ai raconté que la maison plaisait à Gilles et que je m'étais fait un ami nommé Thomas Lavigne. Rémi aimait beaucoup Thomas ! Il m'a dit que sa femme allait mieux; qu'ils partiraient bientôt en Normandie. Puis sa voix est devenue grave : il avait une mauvaise nouvelle à m'annoncer. Anne-Marie était revenue, ses hommes l'avaient repérée à Paris.

Durant quelques secondes tout s'est refermé en moi. Je ne pouvais plus parler : ma fatigue était immense. Il a dit d'une voix forte : « J'ai besoin de votre confiance. Vous n'allez pas m'abandonner, n'est-ce pas ? » Alors j'ai serré les dents et j'ai répondu : « Il n'en est pas question. »

Avant de raccrocher, il a murmuré : « Courage, ma femme-tambour. » Je n'ai pas pu répondre. Je riais dans mes larmes.

Je sais que certains redoutent la tombée de la nuit; alors viennent pour eux les angoisses, les questions. Ici, c'est l'heure que je préfère. Elle m'apporterait plutôt des réponses. Dès six heures, je sors le fauteuil d'osier devant la maison et je m'y carre bien à l'aise; il ne me manque que la pipe et les chaussons du grand-père. Je me laisse envahir par ce qui m'entoure : les couleurs, chacune unique, et qui ne jurent jamais entre elles, peintes par le temps, les pluies, la sécheresse, le passage des animaux, de l'homme et ses machines; dans la forêt, la guerre des verts, plus tendres pour les « modernes », presque noirs pour les « anciens »; je comprends le besoin de lutte de Rémi : il a grandi à ce spectacle. Dans les odeurs aussi, je lis la vie : fraîches ou amères, pleines, piquantes, fugitives, jamais longuement saisies.

Peu à peu, je me fonds dans tout cela; il me semble en faire partie intégrante : je suis un peu de ce vert indéfinissable, de ce vent qui tourne, de ces odeurs mêlées. Ma vie me semble à la fois moins importante et plus précieuse et, regardant l'univers, me regardant en lui, il me semble qu'en un sens je prie.

Quand la nuit est tout à fait là, je rentre. Je ferme les volets et les deux gros verrous. Je ne crains pas d'être seule, au contraire. J'ai besoin de me taire. Je me sens en convalescence. Je vais dîner, lire, écouter de la musique avant de monter me glisser sous la couette.

Dans son lit, à Neuilly, la petite fille rêvait à des princes charmants. Ici, quand je ferme les yeux, je me vois marchant en équilibre sur le tronc d'un arbre abattu. Je suis enfant et femme en même temps. Il me faut arriver sans tomber là où l'arbre debout semblait toucher le ciel. Mon doigt va chercher, au ras de mes cheveux, la cicatrice qu'avait laissée la pierre. J'entends la voix de Rémi : « Mais vous êtes là ! » Ce qui alors me poigne, ce qui n'a pas été et ne sera jamais, je l'offre à Jean-Daniel, Marylène, Gilles, Anne-Marie, les autres, ceux du *Pierrot lunaire*, à Dieu peut-être, au « mieux », au « plus ». Je n'en suis pas à une intention près !

Je laisse allumée la lumière extérieure au-dessus de la porte pour le jour où mon fils reviendra.

38

IL est arrivé à midi, le mercredi. Il s'est arrêté à l'entrée du jardin, près des noisetiers, et il a regardé la maison comme s'il se demandait si c'était bien là.

J'étais dans la cuisine en train d'éplucher des pommes et je l'ai vu par la fenêtre. J'ai jeté mon couteau dans l'évier, passé mes mains à l'eau et je suis allée à sa rencontre. Nous nous sommes embrassés.

Il était venu en auto-stop : deux jours. Il portait un sac de toile sur son dos, ses pieds étaient nus dans les espadrilles, il m'a paru plus grand, maigri, très hâlé, très beau.

Il a posé son sac et nous avons fait un tour de jardin. Je lui ai montré le tas de mauvaises herbes : « Je t'attendais pour y mettre le feu; avec le vent, j'ai toujours peur. »

Près des rosiers que j'avais dégagés, il s'est baissé et il a ramassé quelque chose : une coquille d'escargot.

« Je ne sais pas si tu te souviens, a-t-il dit, mais on les appelait des " petits gris ", ou des " chagrinés ". »

J'ai acquiescé : oui ! Je me souvenais.

« Des amis m'avaient baptisé comme ça, l'été dernier, a-t-il raconté, " petit-gris "... »

Je lui ai dit qu'ici beaucoup de souvenirs de *La Maison* me revenaient, sans doute à cause de l'isolement. Je m'étais souvenue, par exemple, de nos voyages vers la « belle étoile », lorsque nous dormions dehors en regardant le ciel. Il a ri : « La belle étoile... » Lui, avait oublié. Mais c'était rudement joli.

La marche lui avait donné soif et il a bu un grand verre d'eau à la cuisine. Nous étions comme intimidés de nous retrouver ensemble et ne savions trop que nous dire. Je lui ai proposé de visiter la maison.

Dans cette pièce assombrie par poutres et boiseries et dont la cheminée était le cœur, avait vécu, modestement, un couple. Lui était garde-chasse, elle, s'occupait de la maison. Un petit garçon abandonné avait bouleversé et ensoleillé leur vie; ils l'avaient aidé à devenir un homme.

Cette chambre-ci avait été celle d'une jeune fille appelée Marylène. A en juger par les photos, elle n'était pas jolie; elle disait que les arbres l'aidaient à respirer. On trouvait un peu partout dans la maison des objets de sa confection, des dessins. Un cancer l'avait emportée il y a trois ans. Mais elle aussi participait à l'âme de cette maison.

Enfin, cette chambre-là était celle des parents de Marylène : Rémi Laffond et sa femme Denise. Rémi Laffond, il le connaissait. C'était lui qui était venu le voir à l'hôpital. Oui, le flic ! Un homme bien, qui avait souffert mais se tenait debout en s'efforçant d'aider les autres.

Les soldats sur la cheminée ont beaucoup plu à mon fils. Il ne se lassait pas de les regarder; leurs uniformes si minutieusement reproduits, ces fusils pointés et l'élan qui semblait les animer : une armée en marche.

Il a désigné le tambour.

« En voilà un qui a perdu un bras dans la bagarre !

— L'essentiel, ai-je répondu, c'est qu'il lui en reste un. »

Peut-être à ce moment-là a-t-il senti quelque chose dans ma voix parce qu'il s'est tourné vers moi et m'a regardée, étonné, inquiet déjà. Je retrouvais ce regard d'enfant dans ce visage si sensible, si vulnérable, et, sous l'assaut de la tendresse, quelques secondes, j'ai dû fermer les yeux.

Il a dit d'une voix hésitante : « Tu sais, il ne faut surtout pas t'en faire. Ce qui est arrivé, ce n'était pas grand-chose finalement. »

Je lui ai souri : « Je sais », ai-je dit.